1 MONTH OF
FREE
READING

at

www.ForgottenBooks.com

By purchasing this book you are eligible for one month membership to ForgottenBooks.com, giving you unlimited access to our entire collection of over 700,000 titles via our web site and mobile apps.

To claim your free month visit:
www.forgottenbooks.com/free673670

ISBN 978-0-260-09105-5
PIBN 10673670

For support please visit www.forgottenbooks.com

VERZEICHNISS

DER AN DER

KAISER-WILHELMS-UNIVERSITÄT STRASSBURG—

VOM

SOMMER-SEMESTER 1872 BIS ENDE 1884

ERSCHIENENEN SCHRIFTEN

STRASSBURG
Universitäts-Buchdruckerei J. H. Ed. Heitz (Heitz & Mündel)
1890.

grates

Nachdem die Schriften der Kaiser-Wilhelms-Universität Strassburg vom Beginn des Jahres 1885 an regelmässig in den «Jahres-Verzeichnissen» Aufnahme gefunden haben, welche die Königl. Bibliothek in Berlin seitdem in dankenswerther Weise herausgiebt, hat sich im Hinblick auf den noch kurzen Bestand unserer Universität der Gedanke nahe gelegt, ebenso die seit Eröffnung derselben bis Ende 1884 erschienenen Schriften in einem Gesammtverzeichnisse zusammenzustellen. Indem die Verwaltung der Kaiserl. Universitäts- und Landesbibliothek dieses Verzeichniss vorlegt, bemerkt sie dass bei dessen Bearbeitung das bei der Berliner Veröffentlichung beobachtete Verfahren beibehalten worden ist.

Strassburg, 12. Mai 1890.

Der Oberbibliothekar

BARACK.

a. Statuten, Ordnungen und Reglements.

i   **Entwurf** des definitiven Statuts nach den Beschlüssen des Herrns mit der Verbesserungsanträgen der bestellter Redactions-Commission ... [Strassburg, Univ.-Buchdr. v. J. H. Ed. Heitz, 1872.] 4. 22 S.

ii   Provisorisches **Statut** für die Universität Strassburg. Strassburg, Univ.-Buchdr. v. J. H. Ed. Heitz, 1872. 8. 26 S.

iii   **Statut** für die Universität Strassburg. Strassburg, Univ.-Buchdr. v. J. H. Ed. Heitz, 1875. 8. 27 S.

b. Personalverzeichnisse.

iv   Antliches **Verzeichniss des Personals** und der Studenten der Universität Strassburg [v. W.-Sem. 1877/78 an: Kaiser-Wilhelms-Universität Strassburg]: S.-Sem. 1872; W.-Sem. 1872/73 u. ff. bis S.-Sem. 1885 ... Strassburg, Univ.-Buchdr. v. J. H. Ed. Heitz [etc.], 1872—1885. 27 Hefte 8.

c. Vorlesungsverzeichnisse.

v   **Verzeichniss der Vorlesungen,** welche an der Universität Strassburg [v. W.-Sem. 1877/78 an : Kaiser-Wilhelms-Universität Strassburg] gehalten werden : S.-Sem. 1872 ; W.-Sem. 1872/73 u. ff. bis S.-Sem. 1885 ... Strassburg, Univ.-Buchdr. v. J. H. Ed. Heitz [etc.], 1872—1885. 27 Hefte 8.

d. Rectoratswechsel und Preisbewerbungen.

VI   Rede gehalten zum **Antritt des Rectorats** der Universität Strassburg an 2. November 1872 von Dr. A. De Bary, Prof. d. Botanik. Chronik des ersten Semesters. Zur Geschichte der Naturbeschreibung in Elsass. Strassburg, Univ.-Buchdr. v. J. H. Ed. Heitz, 1872. 8. 31 S.

VII   Bericht über die Ergebnisse der für das Jahr 1872 bis 1873 an der Universität Strassburg bestimmten **Preisbewerbung** und über die für das Jahr 1873 bis 1874 gestellten Preisaufgaben. Strassburg, Univ.-Buchdr. v. J. H. Ed. Heitz, 1873. 8. 16 S.

VIII   Bericht über die Ergebnisse der für das Jahr 1873 bis 1874 an der Universität Strassburg bestimmten **Preisbewerbung,** über die für das Jahr 1874 bis 1875 gestellten Preisaufgaben und über die Max Müller'sche Preisstiftung. Strassburg, Univ.-Buchdr. von J. H. Ed. Heitz, 1874, 8. 18 S.

IX   Der **Rectoratswechsel** an der Universität Strassburg an 31. October 1874. Jahresbericht erstattet von den Prorector Dr. Hoppe-Seyler, o. Prof. der physiol. Chemie. Rede über Strassburgs Blüte und die volkswirthschaftliche Revolution in XIII. Jahrhundert, gehalten von den Rector Dr. Gustav Schmoller, o. Prof. der Staatswissenschaften. Strassburg, Karl J. Trübner. London, Trübner u. Comp., 1874. 8. 53 S.

X   Die **Feier der Stiftung** der Universität Strassburg am 1. Mai 1875. Rede über Strassburg zur Zeit der Zunftkämpfe und die Reform seiner Verfassung und Verwaltung im XV. Jahrhundert, gehalten von den Rector Dr. Gustav Schmoller, o. Prof. der Staatswissenschaften. Bericht über die Ergebnisse der **Preisbewerbung** für das Jahr 1874/75 und über die Bewerbung um den Lameypreis von 1870, sowie Mittheilung der für das Jahr 1875/76 von den Facultäten gestellten Preisaufgaben, der Aufgaben der Lameystiftung und der Max Müller'schen Preisstiftung. Strassburg, Karl J. Trübner. London, Trübner u. Comp., 1875. 8. 2 + 88 S.

xi   Bericht über die Zeit vom 1. October 1874 bis 1. April 1876 erstattet von dem Prorector Dr. S c h m o l l e r, o. Prof. der Staats-wissenschaften. Bericht über die **Preisbewerbung** für das Jahr 1875/76 und über die Preisaufgaben für das Jahr 1876/77. Strassburg, Buchdr. R. Schultz u. Comp. Berger-Levrault's Nachf., 1876. 8. 26 S.

xii   Bericht über das **Stiftungsfest** der Universität am 2. Mai 1877 bei Anwesenheit Seiner Majestät des Kaisers W i l h e l m I. B e r i c h t über die **Preisbewerbung** für das Jahr 1876/77 und über die Preisaufgaben für das Jahr 1877/78. Strassburg, Buchdr. R. Schultz u. Comp. Berger-Levrault's Nachf., 1877. 8. 31 S.

xiii   Jahresbericht der Kaiser-Wilhelms-Universität Strassburg (Sommersemester 1877 und Wintersemester 1877/78) erstattet von dem Prorector Dr. A u g u s t K u n d t, o. Prof. der Physik. B e r i c h t über die **Preisbewerbung** für das Jahr 1877/78 und über die Preisaufgaben für das Jahr 1878/79, sowie über die Lamey-Preisstiftung und die Max Müller'sche Preis-stiftung. Strassburg, Buchdr. von R. Schultz u. Comp. Berger-Levrault's Nachf., 1878. 25 S. 8. [Dazu gehört]: Ueber Fort-schritte und Rückschritte der Theologie unseres Jahrhunderts und über ihre Stellung zur Gesammtheit der Wissenschaften. Rede gehalten am 1. Mai 1878 bei Uebernahme des Rectorats der Kaiser-Wilhelms-Universität Strassburg von H e i n r i c h H o l t z m a n n, Doctor und o. Prof. der Theologie . . . Strass-burg, Karl J. Trübner. London, Trübner u. Comp., 1878. 8. 2 + 36 S.

xiv   Der **Rectoratswechsel** an der Kaiser-Wilhelms-Uni-versität Strassburg am 1. Mai 1879. Jahresbericht erstattet von dem Prorector Dr. J. H. H o l t z m a n n, o. Prof. der Theologie. B e r i c h t über die **Preisbewerbung** für das Jahr 1878/79 und über die Preisaufgaben für das Jahr 1879/80 sowie über die Lobstein-Preisstiftung, die Lamey-Preisstiftung und die Max Müller'sche Preisstiftung. R e d e über die Entwickelung des Hospitalwesens und die Verwendung der Hospitäler zu Lehr-zwecken, gehalten von dem Rector Dr. A l b e r t L ü c k e, o. Prof. der Chirurgie. Strassburg, Buchdr. von R. Schultz u. Comp. (Berger-Levrault's Nachf., 1879). 8. 50 S.

xv   Der **Rectoratswechsel** an der Kaiser-Wilhelms-Universität Strassburg am 1. Mai 1880. Jahresbericht erstattet von dem Prorector Dr. Albert Lücke. o. Prof. der Chirurgie. Bericht über die **Preisbewerbung** für das Jahr 1879/80 und über die Preisaufgaben für das Jahr 1880/81, sowie über die Preisaufgaben der Lamey-Preisstiftung, der Lobstein-Preisstiftung und der Max Müller'schen Preisstiftung. Rede über die Bedeutung der Rezeption des Römischen Rechts für das deutsche Staatsrecht, gehalten von dem Rector Dr. Paul Laband, o. Prof. des deutschen Rechts. Strassburg, Univ.-Buchdr. v. J. H. Ed. Heitz, 1880. 8. 62 S.

xvi   Der **Rectoratswechsel** an der Kaiser-Wilhelms-Universität Strassburg am 30. April 1881. Darin: a) Jahresbericht erstattet von dem Prorector Dr. Paul Laband, o. Prof. des deutschen Rechts; b) Bericht über die **Preisbewerbung** für das Jahr 1880/81 und über die Preisaufgaben für das Jahr 1881/82, sowie über die Preisaufgaben der Lamey-Preisstiftung, der Lobstein-Preisstiftung und der Max Müller'schen Preisstiftung; c) Rede über die Entwickelung der Archäologie in unserem Jahrhundert, gehalten von dem Rector Dr. Adolf Michaelis, o. Prof. der Archäologie. Strassburg, Univ.-Buchdr. von J. H. Ed. Heitz, 1881. 8. 62 S.

xvii Der **Rectoratswechsel** an der Kaiser-Wilhelms-Universität Strassburg am 1. Mai 1882. Darin: a) Jahresbericht erstattet von dem Prorector Dr. Adolf Michaelis. o. Prof. der Archäologie; b) Bericht über die **Preisbewerbung** für das Jahr 1881/82 und über die Preisaufgaben für das Jahr 1882/83, sowie über die Preisaufgaben der Lamey-Preisstiftung, der Lobstein-Preisstiftung und der Max Müller'schen Preisstiftung; c) Rückblick auf das erste Jahrzehnt der Kaiser-Wilhelms-Universität Strassburg von Prorector Prof. Dr. A. Michaelis. Strassburg, Univ.-Buchdr. v. J. H. Ed. Heitz, 1882. 8. 62 S.

xviii Der **Rectoratswechsel** an der Kaiser-Wilhelms-Universität Strassburg am 1. Mai 1883. Darin: a) Jahresbericht erstattet von Prof. Dr. Adolf Michaelis, vorjährigem Prorector; b) Bericht über die **Preisbewerbung** für das Jahr 1882/83 und über die Preisaufgaben für das Jahr 1883/84 sowie über die Preisaufgaben der Lamey-Stiftung, der Lobstein-Preisstiftung und der Max Müller'schen Preisstiftung; c· Die historische Entwicklung des medicinischen Unterrichts, seine Vorbedingungen und seine Aufgaben, von Dr. Friedr. von Recklinghausen o. Prof. der Pathol., d. Z. Rector. Strassburg, Univ.-Buchdr. v. J. H. Ed. Heitz. 1883. 8. 64 S.

XIX · Der **Rectoratswechsel** an der Kaiser-Wilhelms-Universität Strassburg am 1. Mai 1884. Darin: ä) Jahresbericht erstattet von Prof. Dr. F. von Recklinghausen, d. Z. Prorector; b) Bericht über die **Preisbewerbung** für das Jahr 1883/84 und über die Preisaufgaben für das Jahr 1884/85, sowie über die Preisaufgaben der Lamey-Stiftung, der Lobstein-Preisstiftung und der Max Müller'schen Preisstiftung; c) Von der deutschen Rechtswissenschaft. Rede ·gehalten heim Antritt des Rectorats von Dr. Rudolf Sohm. o. Prof. der Rechtswissenschaft, d. Z. Rector. Strassburg, Univ.-Buchdr. v. J. H. Ed. Heitz. 1884. 8. 47 S.

XX Der **Rectoratswechsel** an der Kaiser-Wilhelms-Universität Strassburg am 1. Mai 1885. Darin: a) Jahresbericht erstattet von Prof. Dr. Sohm, d. Z. Prorector; b) Bericht über die **Preisbewerbung** für das Jahr 1884/85 und über die Preisaufgaben für das Jahr 1885/86, sowie über die Preisaufgaben der Lamey-Stiftung, der Lobstein-Preisstiftung und der Max Müller'schen Preisstiftung; c) Zur Geschichte der alten Strassburger Universität. Rede gehalten beim Antritt des Rectorats von Dr. Emil Heitz. o. Prof. der klass. Philol. Strassburg, Univ.-Buchdr. v. J. H. Ed. Heitz (Heitz u. Mündel, Nachf.). 1885. 8. 61 S.

e. Inauguraldissertationen und Thesen.

1872.

Theologische Fakultät.

1. **Dahlet,** J.: Jérémie et le Deutéronome. Essai historique et critique sur l'origine de la Thora. Strasbourg, imprimerie de J. H. Ed. Heitz, 1872. 8. 88 S.

2. **Fallot,** T.: Les pauvres et l'Évangile. Strasbourg, inprinerie Silbermann, G. Fischbach. successeur. 1872. 8. 51 S.

3. **Guerrier**, R. Ch. [de Bouxwiller]: Etude exégétique du passage de l'épitre aux Colossiens I, v. 15 à v. 21. Strasbourg, inprinerie de J. H. Ed. Heitz. 1872. 8. 28 S.

4. **Heyler**, Frédéric [de Niederbetschdorf, Bas-Rhin]: Essai historique et critique sur l'opposition judaïsante contre Paul. Strasbourg, imprimerie Silbernann, G. Fischbach, successeur, 1872. 8. 51 S.

5. **Hoffmann**, Albert [de Hochfelden]: Abraham, Moïse et le Christ ou l'économie du salut d'après Saint-Paul. Strasbourg, imprimerie de J. H. Ed. Heitz. 1872. 8. 47 S.

6. **Hoepffner**, Th. Eug. [de Lembach, Bas-Rhin]: Étude sur l'idée de la Συναίδησις d'après le Nouveau Testament. Strasbourg, imprimerie de J. H. Ed. Heitz. 1872. 8. 48 S.

7. **Jaeger**, Arnold: La réformation à Haguenau d'après des documents en partie inédits. Strasbourg, imprimerie de J. H. Ed. Heitz. 1872. 8. VI, 112 S.

8. **Liebrich**, Em. [de Herbitzheim, Bas-Rhin]: Essai sur le mysticisme spiritualiste de Sébastien Franck de Ward. Strasbourg, imprimerie de J. H. Ed. Heitz. 1872. 8. 60 S.

9. **Muller**, Rodolphe [de Schweighausen, Bas-Rhin]: Philippe-Jacques Spener considéré conne catéchète. Strasbourg, imprimerie de J. H. Ed. Heitz, 1872. 8. 51 S.

10. **Ortlieb**, Enile [d'Algolsheim, Haut-Rhin]: Essai sur le système ecclésiastique de Grégoire le Grand. (Colmar, imprimerie de Ch.-M. Hoffmann), 1872. 8. 79 S.

11. **Roehrich**, Edouard [d'Illkirch, Bas-Rhin]: Étude sur les principales idées morales contenues dans les épitres de Saint-Paul. Strasbourg, imprimerie Silbermann, G. Fischbach, successeur, 1872. 8. 32 S.

12. **Schladenhauffen**, G. [de Vendenheim, Bas-Rhin]: Essai sur la doctrine paulinienne de la résurrection des morts d'après 1. Cor. XV. Strasbourg, imprimerie de J. H. Ed. Heitz, 1872. 8. 38 S.

13.　**Spaoh**, Em. [de Weinbourg, Bas-Rhin]: Exposé du système christologique de Caspar Schwenckfeld. Strasbourg. imprimerie de J. H. Ed. Heitz, 1872. 8. 57 S.

14.　**Vaucher**, Edouard [de Mulhouse, Haut-Rhin]: Étude sur les missions évangéliques parmi les peuples non chrétiens. Strasbourg, imprimerie Silbermann, G. Fischbach, successeur, 1872. 8. 63 S.

1872.

Medizinische Fakultät.

15.　**Rabow**, Siegfried [aus Carthaus]: Ueber die Wirkung des Alkohol auf die Körpertemperatur und den Puls. Strassburg, J. H. Ed. Heitz, Univ.-Buchdr., 1872. 8. 30 S.

16.　**Steinkühler**, Franz David: Ueber die Beziehungen von Gehirnerkrankungen zur tabes dorsualis. Strassburg, J. H. Ed. Heitz, Univ.-Buchdr. (1872). 8. 47 S.

17.　**Zuckschwerdt**, Benno [aus Schmiedeberg]: Die Typhus-epidemie im Waisenhause zu Halle a. S. 1871. Mit Berück-sichtigung der Immunität desselben gegen Cholera. Halle a. S., Plötz'sche Buchdruckerei, 1872. 8. 53 S. u. 1 Plan.

1873.

Medizinische Fakultät.

18.　**Dupré**, Adolf: Ueber icterus gravis, acute gelbe Leber-atrophie bei Schwangeren und Wöchnerinnen. Strassburg, Berger-Levrault u. Comp., 1873. 8. 35 S.

19.　**Helmstedter**, Félix [de Wasselonne. Alsace]: Du mode de formation des anévrysmes spontanés. Strasbourg, imprimerie de R. Schultz et Cie., Successeurs de Berger-Levrault, 1873. 8. II. 31 S. u. 2 Taf.

20.　**Kochmann**, Max [aus Beuthen in Ober-Schlesien]: Beitrag zur Lehre von der furunculösen Entzündung. (Separat-Abdruck aus dem Archiv für Dermatologie und Syphilis 1873. 3. u. 4. Heft.) Prag, J. G. Calve'sche k. k. Univ.-Buchhandl., Ottomar Beyer, 1873. 8. VIII. 60 S.

21. **Mering,** Joseph von: Ein Beitrag zur Chemie des Knorpels. Cöln, Buchdruckerei von J. S. Stevel (1873). 8. 23 S.

22. **Preiss**, Otto [aus Neisse]: Ueber Cerebrospinal-Meningitis. Neisse, Buchdruckerei F. Bär, vormals Rosenkranz u. Bär, (1873). 8. 44 S. u. 4 Tabellen.

23. **Schröder,** Oscar [aus Altona]: Ueber Cystofibroide des Uterus, speciell über einen Fall von intra-uterinem Cystofibroid. Strassburg. J. H. Ed. Heitz, Univ.-Buchdr., 1873. 8. 67 S.

24. **Weil,** Adolph: Der Stenson'sche Versuch. München, Druck der Dr. Wild'schen Buchdruckerei (Gehr. Parcus), 1873. gr. 8. 36 S.

1873.

Philosophische Fakultät.

25. **Bernheim**, Ernst [aus Hamburg]: Lothar III und das Wormser Concordat. (Buchdruckerei von Georg Otto in Darmstadt, s. a. (1873). 8. II, 77 S.

26. **Goldschmit,** Robert [aus Ludwigshafen a. Rh.]: Die Tage von Tribur und Kanossa. Mannheim, Druck der Ersten Deutschen Verbands-Genossenschafts-Buchdruckerei. 1873. 8. 49 S.

27. **Graff,** Ludwig [aus Pancsova, Ungarn]: Zur Anatomie der Rhabdocoelen. Strassburg, Buchdruckerei von Fr. Wolff, 1873. 8. VI, 19 S.

28. **Grober,** Oswald [aus Spielberg bei Koesen a. d. S.]: Der Tag von Wirzburg 1180 Januar 13. Strassburg, J. H. Ed. Heitz. Univ.-Buchdrucker, 1873. 8. 63 S.

29. **Heilbut,** Louis [aus Altona]: Ueber die ursprüngliche und richtige Eintheilung des Dekalogs. Altona, Druck von Gebrüder Bonn, 1873. 8. IV, 39 S.

30. **Hintze,** Carl: Krystallographische Untersuchungen über Naphtalinderivate. Berlin, gedruckt bei A. W. Schade (L. Schade), 1873. 8. II, 22 S.

31. **Rostafinski,** Joseph Thomas von [aus Warschau]: Versuch eines Systens der Mycetozoen. Strassburg, Druck von Friedrich Wolf, 1873. 8. IV, 21 S.

32. **Stahl,** Christian Ernest [aus Schiltigheim]: Entwickelungsgeschichte und Anatomie der Lenticellen. Halle a. S., Gehauer-Schwetschke'sche Buchdruckerei, 1873. 4. 35 S. u. 1 Taf.

33. **Zeidler,** Othmar [aus Wien, Oesterreich]: Beitrag zur Kenntniss der Verbindungen zwischen Aldehyden und aromatischen Kohlenwasserstoffen. Wien, Verlag von Othmar Zeidler. Druck von Alex. Eurich, 1873. 8. 19 S.

1874.

Rechts- und Staatswissenschaftliche Fakultät.

34. **Hahn,** J. F. E. [aus Schönberg im Fürstenthum Ratzeburg, Mecklenburg-Strelitz]: Ueber die aus der Zeichnung von Actien hervorgehenden Rechtsverhältnisse. Strassburg, Karl J. Trübner, 1874. 8. 67 S.

35. **Petri,** Emil [aus Buchsweiler, Unter-Elsass]: Das Pflichttheilsrecht der armen Wittwe. Strassburg, J. H. Ed. Heitz, Univ.-Buchdr., 1874. 8. 64 S.

36. **Richthofen,** O. Frhr. von. [Kreis-Assessor der Kaiserlichen Kreis-Direction Zabern]: Ueber die staatsrechtliche Gültigkeit der während des Krieges 1870/71 Seitens der Französischen Regierung erlassenen Gesetze und Decrete für Elsass-Lothringen. Als Manuscript gedruckt. (Besonderer Abdruck aus den Annalen des Deutschen Reichs, herausgegeben von Dr. Georg Hirth. Verlag von G. Hirth in Leipzig, 1874.) Leipzig, Druck von Bär und Hermann (1874). 4. 14 S.

37. **Sperling,** Heinrich [aus Pillkallen in Ostpreussen]: Zur Geschichte von Busse und Gewette im Mittelalter. Strassburg, C. F. Schmidt's Universitäts-Buchhandlung, Friedrich Bull. 1874. 8. 40 S.

38. **Turner,** Paul: Slawisches Familienrecht. Strassburg, Karl J. Trübner. London, Trübner u. Comp., 1874. 8. 64 S.

1874.

Medizinische Fakultät.

39. **Brieger,** Ludwig [aus Glatz in Schlesien]: Beiträge zum Lungenbrand. Strassburg, Buchdruckerei von R. Schultz u. Comp., Berger-Levrault's Nachfolger, 1874. 8. 28 S.

40. **Chenevière,** Edouard : Grossesse, pneumonie et maladies de cœur. Strasbourg, typographie de G. Fischbach, 1874. 8. 80 S.

41. **Hilsmann,** Friedr. Emil Theodor: Ein Beitrag zur hypodermatischen Injection des Morphium. Arnsberg, Druck von H. F. Grote, (1874). 8. 36 S.

42. **Klemm,** Richard [pract. Arzt]: Ueber ietritis migrans. Strassburg, Buchdruckerei von R. Schultz u. Comp., Berger-Levrault's Nachfolger, 1874. 8. 66 S. u. 1 Taf.

43. **Martin,** Robert [aus München]: Ueber Gelenkmuskeln bei n Menschen. Erlangen, Verlag von Palm u. Enke (Adolph Enke), 1874. 8. IV, 58 S.

44. **Mewis,** Christian [prakt. Arzt]: Ueber puerperale Erkrankungen in der Strassburger Entbindungsanstalt. Strassburg, Buchdruckerei von R. Schultz u. Comp., Berger-Levrault's Nachfolger, 1874. 8. 63 S. u. 19 Taf.

45. **Meyer,** Carl [Lenzburg, Schweiz]: Beiträge zur acuten Nephritis. Strassburg, Univ.-Buchdr. v. J. H. Ed. Heitz. 1874. 8. 56 S. u. 1 Taf.

46. **Reverdin,** Auguste [ex-assistant de la clinique chirurgicale de Strasbourg. lauréat de la faculté]: Du traitement du pédicule et de la plaie abdominale dans l'ovariotomie. Genève, imprimerie Ramboz et Schuchardt, 1874. 8. 111 S. u. 3 Taf.

47. **Schlumberger,** Emile [ex-interne de l'hôpital civil de Strasbourg]: Contributions à l'étude de la gangrène infectieuse. Strasbourg, imprimerie de R. Schultz et Cie., 1874. 8. IV, 42 S. u. 1 Taf.

48. **Schmederer,** Heinrich [aus München]: Beitrag zur Casuistik der lyssa humana. Strassburg, Buchdruckerei von R. Schultz und Comp., Berger-Levrault's Nachfolger, 1874. 8. 37 S.

49. **Schramm,** Adolf [aus Dann, in der Rheinprov.]: Ueber die Wirkungen des Amylnitrits insbesondere bei Melancholie. (Separat-Abdruck aus dem Archiv für Psychiatrie und Nervenkrankheiten 1874, 2. Heft, V. Bd.) Berlin, Druck von G. Bernstein, 1874. 8. 26 S.

50. **Schramm,** Gerb. [aus Neidenbach, Rheinprov.]: Ueber die Art der Wirkung der Epispastica und über deren therapeutische Anwendung. Saarlouis, Druck der Actien-Buchdruckerei (G. Schönhaar), 1874. 8. 24 S.

51. **Wagner,** Carl [aus Osthofen]: Ein Fall von carcinoma vesicae villosum. Strassburg, Druck von Moritz Schauenburg, 1874. 8. 28 S.

52. **Zielonko,** Justus von. Ueber die Entwicklung und Proliferation von Epithelien und Endothelien. Bonn, Druck von Carl Georgi. 1874. 8. 29 S.

1874.

Philosophische Fakultät.

53. **Buenger,** Carolus [Burgensis]: Theopompea. Argentorat apud Carolum I. Truebner, 1874. 8. 71 S.

54. **Fischer,** Emil [aus Euskirchen, Preussen]: Ueber Fluoresceïn und Phtaleïn-Orcin. Bonn, Druck von P. Neusser, 1874. 8. 40 S.

55. **Fischer,** Otto: Ueber Verbindungen von Chloral und Aldehyd mit Toluol unter Austritt von Wasser. Strassburg, Druck von Fr. Wolff, 1874. 8. 39 S.

56. **Grabowski,** Julijan [aus Warschau]: Ein Beitrag zur Kenntniss der Wasserentziehungsprozesse (in der Naphtanlingruppe). Strassburg, Druck von Friedrich Wolff, 1874. 8. 48 S.

57. **Henning,** Rudolf: Ueber die Sanctgallischen Sprach-denkmäler bis zum Tode Karls des Grossen. I. (Separat-Abdruck aus den Quellen und Forschungen zur Sprach- und Kulturgeschichte der germanischen Völker, hrsg. von Bernhard ten Brink und Wilhelm Scherer; III. Heft, Seite 1—67.) Strass-burg, Karl J. Trübner. London, Trübner u. Comp., 1874. 8. IV, 67 S.

58. **Hill,** Franz [aus Fulda]: Ueber das Metrum in der Chanson de Roland. Strassburg 1874. 8. 36 S.

59. **Richter,** Iachis [Pomeranus]: De usu particularum excla-mativarum apud priscos scriptores latinos. (Typis Breitkopfii et Haertelii, Lipsiensium.) Argentorati 1874. 8. 34 S.

60. **Schmidt,** Erich: Reinmar von Hagenau und Heinrich von Rugge. (Separat-Abdruck aus den Quellen und Forschungen zur Sprach- und Kulturgeschichte der germanischen Völker, hrsg. von Bernhard ten Brink und Wilhelm Scherer.) Strass-burg, Karl J. Trübner. London, Trübner u. Comp., 1874. 8. 122 S.

61. **Weiler,** Julius [aus Cöln a. Rh.]: Ueber die Einwirkung von Methylal auf Toluol, Benzylchlorid und Diphenyl. Bonn, Buchdruckerei von P. Neusser. 1874. 8. 40 S.

62. **Wiegand,** Wilhelm [aus Ellrich a. Harz]: Die Vorreden Friedrichs des Grossen zur Histoire de mon temps. (Separat-Abdruck aus den Quellen und Forschungen zur Sprach- und Kulturgeschichte der germanischen Völker, hrsg. von Bernhard ten Brink und Wilhelm Scherer. Heft V.) Strassburg, Karl J. Trübner. London, Trübner u. Comp., 1874. 8. 86 S.

1875.

Medizinische Fakultät.

63. **Amos,** Eugène [de Wasselonne, Alsace]: Des lésions accidentelles du péritoine dans certaines opérations chirurgicales. Strasbourg, typographie de G. Fischbach, 1875. 8. 53 S.

64. **Frank,** August [Secundar-Arzt des Cölner Bürger-Hospitals]: Ueber die Veränderungen am Circulations-Apparate bei Bleikolik. Bonn, Druck von J. F. Carthaus (1875). 8. 20 S.

65. **Houllion,** Constant [médecin praticien, ex-interne de l'hôpital civil de Strasbourg]: Contributions à l'étude de l'angine de Ludwig. Strasbourg, inprimerie R. Schultz et Cie., succ. de Berger-Levrault. 1875. 8. 30 S.

66. **Ingenohl,** Adolph [prakt. Arzt]: Ein Beitrag zur Embolie der Centralarterie der Netzhaut. Neuwied, J. H. Heuser'sche Buchdruckerei, 1875. 8. 31 S.

67. **Knöry.** Auguste [de Neuchatel]: Contributions au traitement local des arthrites fongueuses par les injections d'acide phénique. Neuchatel, imprimerie de Janes Attinger, 1875. 8. 44 S. u. 3 Taf.

68. **Komanos,** Anton D. [aus Volos, in Thessalien]: Ueber die Verdauung des Inulins und Seine Verwendung bei Diabetes Mellitus. Strassburg, Druck von H. L. Kayser, 1875. 8. 42 S.

69. **Körte,** Werner [appr. Arzt]: Beitrag zur Lehre vom runden Magen-Geschwür. Strassburg. Buchdruckerei von R. Schultz u. Comp.. Berger-Levrault's Nachfolger. 1875. 8. 48 S.

70. **Mercanton,** Victor: Du traitement des plaies de l'estomac. Lausanne, inprinerie Georges Bridel. 1875. 8. 39 S.

71. **Perrier,** Henri: Des effets de la toxirésine et de la digitalirésine sur l'organisme animal. Strasbourg, typographie de G. Fischbach, 1875. 8. 36 S.

72. **Prunhuber,** Wilhelm [Dr., pract. Arzt aus Eschenbach]: Ueber Entbindung verstorbener Schwangerer mittelst des Kaiserschnittes. München, Kgl. Hof- und Universitätsbuchdruckerei von Dr. C. Wolf u. Sohn, 1875. 8. 43 S.

73. **Runge,** Max [appr. Arzt]: Die Bestimmung der Grösse des Kindes vor der Geburt. Strassburg, Buchdruckerei von R. Schultz u. Comp., Berger-Levrault's Nachfolger, 1875. 8. 32 S.

74. **Schrumpf,** Gustave [de Bethesda, Afrique mérid.]: De l'hydrocèle chez l'enfant et de sa fréquence à Strasbourg. Strasbourg, inprimerie R. Schultz et Cie., succ. de Berger-Levrault, 1875. 8. 41 S.

75. **Schultze**, Robert [cand. med.]: Experineıteller Beitrag zır Lehre von der polareı Reizmethode in der Electrotherapie. Strassbırg, Bıchdrıckerei H. L. Kayser, 1875. 8. 41 S., dabei eiıe Figurentafel.

76. **Steinen**, Karl von deı: Ueber den Antheil der Isyche am Krankheitsbilde der Chorea. Strassbırg, Karl J. Trübner, 1875. 8. 75 S.

77. **Velden**, Reıihard von den [appr. Arzt]: Ueber eine im Wiıter 1874—1875 zu Strassbırg beobachtete Influenza-Epidemie. Nebst eiıer historischen Einleitung. Strassburg, Buchdruckerei von R. Schıltz u. Comp., Berger-Levrault's Nachfolger, 1875. 8. 33 S. u. 1 Tab.

78. **Wegscheider**, Hans [appr. Arzt]: Ueber die normale Verdaıuıg bei Säuglingen. Berlin, Bıchdrıckerei von R. Boll (1875). 8. 32 S.

79. **Wolff**, Alfred: De l'emploi du silicate de soude dans le traitement de la blennorrhagie. Strasbourg, inprinerie R. Schıltz et Cie., sıcc. de Berger-Levrault, 1875. 8. 34 S.

1875.

Philosophische Fakultät.*

80. **Cahn**, Michael [aus Rüdesheiın]: Pirke Aboth sprachlich ınd sachlich erläutert ıebst Aıgabe der Variae Lectiones nach gedrıckteı und ungedruckten Qıellen. Berlin, Druck von Rosenthal u. Comp., 1875. 8. XV, 65 S.

81. **Gastfreund**, J.: Mohamed nach Talmud und Midrasch. Kritisch-historisch bearbeitet. Berliı, Louis Gerschel, Verlagsbuchhandlung, 1875. 8. 32 S.

* Die Philosophische Fakultät zerfiel bis zum Beginn des Sommer-Semesters 1875 in zwei Abtheilungen: die philosophisch-historisch-philologische (später humanistische genannt) und die mathematisch-naturwissenschaftliche. Die in das Bereich der Mathematik und Naturwissenschaften fallenden Dissertationen sind daher bis zu dem genannten Zeitabschnitt der philosophischen Fakultät vorgelegt und hier deshalb bei dieser aufgeführt worden, während alle späteren bezgl. Dissertationen sich bei der seit dem Sommer-Semester 1875 selbständig bestehenden mathematisch-naturwissenschaftlichen Fakultät verzeichnet finden.

82.   **Hepp,** Edtard [aus Strassburg i. Els.]: Ueber einige Verbindungen von Aldehyden mit aron atischen Kohlenwasserstoffen. Strassburg, Univ.-Buchdr. von J. H. Ed. Heitz, 1875. 8. 56 S.

83.   **Knorr,** Ludwig Karl: Zu Ulrich von Lichtenstein. Strassburg, Karl J. Trübner. London, Trübner u. Comp., 1875. 8. 32 S.

84.   **Lepsius,** Richard: Beiträge zur Kenntniss der Juraformation im Unter-Elsass. Mit 2 lithographierten Tafeln. Leipzig, Verlag von Wilhelm Engelmann, 1875. 8. VI. 64 S. u. 2 Taf.

85.   **Luterbacher.** Franciscus [Solodurensis]: De fontibus librorum XXI et XXII Titi Livii. Argentorati apud Carolum J. Truebner. 1875. 8. 59 S.

86.   **Meer,** Edmund ter [aus Crefeld]: Ueber Verbindungen von Phenol mit Aldehyden und über das Nitrosophenol. Crefeld, Druck von Kraner u. Baum, 1875. 8. 41 S.

87.   **Schepss,** Georgius: De soloecismo (Impressum Onoldi typis Bruegelii et filii, 1876.) Argentorati 1875. 8. 61 S.

88.   **Schraube,** C. [aus Halberstadt]: Ueber Nitrosodimethylanilin. Strassburg. Druck von H. L. Kayser, 1875. 8. 45 S.

89.   **Simroth,** Heinrich [aus Riestaedt, Prov. Sachsen]: Zur Kenntniss des Bewegungsapparates der Infusionsthiere. Bonn. Universitäts-Buchdruckerei von Carl Georgi, 1875. 8. 40 S.

90.   **Stuenkel,** Ludovicus [Huxariensis]: De Varroniana verborum formatione. Argentorati apud Carolum J. Truebner, 1875. 8. 79 S.

91.   **Thomas,** Barnim [aus Stettin]: Zur Königswahl des Grafen Heinrich von Luxemburg vom Jahre 1308. Strassburg, Karl J. Trübner, 1875. 8. 95 S.

Mathematisch-Naturwissenschaftliche Fakultät.

92.   **Freyhold,** Edmund von: Beiträge zur Pelorienkunde. Etpen, Druck und Lithographie von Wwe J. Emonds, 1875. 8. 60 S. u. 1 Taf.

93. **Gartenauer,** Heinrich Maria [aus Linz a. D.]: Ueber den Darnkanal einiger einheinischen Gasteropoden. Jena, Druck von Ed. Frommann, 1875. 8. 37 S. u. 1 Taf.

94. **Jaeger,** Emil [aus Barmen, Rheinpreussen]: Ueber die Einwirkung von Chloral auf Thymol. Bonn, Buchdruckerei von P. Neusser, 1875. 8. 37 S.

95. **Kamieński,** Franz von [aus Warschau]: Zur vergleichenden Anatomie der Primeln. Strassburg, Buchdruckerei von Friedrich Wolff, 1875. 8. 39 S.

96. **Weigand,** B.: Die Serpentine der Vogesen. (Aus den Mineralogischen Mittheilungen, gesammelt von G. Tschermak 1875. Heft III.) Wien, Alfred Hölder, k. k. Universitäts-Buchhändler. 8. 24 S.

1876.

Medizinische Fakultät.

97. **Bricon,** Paul [de Paris]: Nouvelles recherches physiologiques sur les nerfs vaso-moteurs. Paris, J. B. Baillière & fils, libraires-éditeurs. Strasbourg, J. Noiriel, libraire, 1876. 8. VIII, 76 S.

98. **Cohen,** Gustav [aus Hamburg]: Die Aetiologie des Lungenbrandes. Strassburg, Buchdruckerei H. L. Kayser, 1876. 8. 53 S.

99. **Edinger,** Ludwig [aus Worms]: Ueber die Schleimhaut des Fischdarmes nebst Bemerkungen zur Phylogenese der Drüsen des Dünndarms. (Separatabdruck aus dem Archiv für mikroskop. Anatomie, Band XIII.) Bonn, Verlag von Max Cohen & Sohn (Fr. Cohen), 1876. 8. 44 S.

100. **Friedländer,** Ernst [approb. Arzt aus Danzig]: Beitrag zur Anatomie der Cystovarien. Danzig, Druck von A. W. Kafemann, 1876. 8. 32 S. u. 1 Taf.

101. **Killian,** Emil [aus Buchsweiler, appr. Arzt]: Ein Fall von diffuser Myelitis chronica. (Separat-Abdruck aus dem Archiv für Psychiatrie und Nervenkrankheiten.) Berlin, Druck von G. Bernstein (1876). 8. 23 S. u. 1 Taf.

102. **Lechten,** Aug. Emile [médecin praticien]: Recherches relatives à l'étude et au traitement de la résection de la hanche. Strasbourg, inprinerie E. Hubert et E. Haberer, 1876. 8. IV, 68 S.

103. **Lesser,** Edmund [aus Berlin]: Beiträge zur Pathologie und Therapie der Hypospadie. Strassburg, J. H. Ed. Heitz, Univ.-Buchdr., 1876. 8. 31 S.

104. **Luedeking,** Rob. [aus St. Louis, Mo., U. S. A.]: Untersuchungen über die Regeneration der quergestreiften Muskelfasern. Strassburg, J. H. Ed. Heitz, Univ.-Buchdr., 1876. 8. 31 S.

105. **Makris,** Constantinus [aus Cyzikus in Propontis]: Studien über die Eiweisskörper der Fraten- und Kuhmilch. Strassburg, Buchdruckerei von H. L. Kayser, 1876. 8. 47 S.

106. **Meyer,** Paul [de Fegersheim, Alsace]: Études histologiques sur le labyrinthe nenbraneux et plus spécialement sur le linaçon chez les reptiles et les oiseaux. Strasbourg, chez Ch.-J. Trübner, libraire-éditeur. Paris, J. B. Baillière et fils, 1876. 8. 180 S.

107. **Photiades,** Photios Demetrii: Ueber Verengerung des Kehlkopflumens durch membranoide Narben und durch directe Verwachsung seiner Wände. Strassburg, Buchdruckerei von R. Schultz u. Comp., Berger-Levrault's Nachfolger, 1876. 8. 77 S. u. 1 Taf.

108. **Sammet,** Rudolf [aus Darmstadt]: Der ophthalmoskopische Befund bei Retinitis albuminurica in seinen Verhältniss zu demjenigen einiger anderer Netzhauterkrankungen. Darmstadt, Rudolf Fendt's Buchdruckerei, 1876. 8. 33 S.

109. **Schadow,** Gottfried [aus Berlin]: Ueber die physiologischen Wirkungen des Nitropentan. Leipzig, Druck von J. B. Hirschfeld, 1876. 8. 13 S.

110. **Schuster,** Wilhelm [appr. Arzt]: Die Entstehung des foetus papyraceus und sein Vorkommen bei einfachem und doppelten Chorion. Strassburg, Druck von Ed. Hubert & E. Haberer, 1876. 8. 28 S.

111. **Timme**, Friedrich Ferdinand: Schräg verengtes Becken in Folge einseitiger Coxarthrocace. Leipzig, Druck von A. Th. Engelhardt, 1876. 8. 24 S. u. 1 Taf.

112. **Unna**, Paul.: Beiträge zur Histologie und Entwickelungs-geschichte der menschlichen Oberhaut und ihrer Anhangs-gebilde. Bonn, Univ.-Buchdr. von Carl Georgi, 1876. 8. 74 S.

113. **Vogler**, Otto [appr. Arzt]: Zur Statistik des engen Beckens. Freiburg i. B., Univ.-Buchdr. von Chr. Lehmann. 1876. 8. 28 S.

114. **Weil**, E.: Beitrag zur Lehre von den syphilitischen Ge-lenkkrankheiten. Strassburg, Buchdruckerei von R. Schultz u. Comp., 1876. 8. 52 S.

1876.

Philosophische Fakultät.

115. **Baragiola**, Aristide („Lector publicus" di lingua italiana nella detta Università): Giacomo Leopardi, filosofo, poeta e prosatore. Strasburgo, presso Carlo J. Trübner, 1876. 8. XV, 65 S.

116. **Egenolff**, Petrus [Nassovus]: Prolegomena in anonymi grammaticae epitomam. Berolini, typis W. Pormetteri, 1876. 8. 32 S.

117. **Foth**, Karl: Die Verschiebung lateinischer Tempora in den romanischen Sprachen. (Separat-Abdruck aus den Roma-nischen Studien, hrsg. von Ed. Boehner, Heft VIII.) Strassburg. Karl J. Trübner. London, Trübner & Comp., 1876. 8. 38 S.

118. **Franck**, Johannes: Ueber das mittelniederländische Gedicht Flandrijs. (Separat-Abdruck aus den Quellen und Forschungen zur Sprach- und Kulturgeschichte der germanischen Völker. hrsg. von Bernhard ten Brink, Wilhelm Scherer. Elias Stein-meyer. XVIII. Heft. S. 1—60.) Strassburg. Karl J. Trübner London, Trübner u. Comp., 1876. 8. 60 S.

119. **Haefelin**, François [de Clingnau]: Étude sur le voca-lisme des patois romans du canton de Fribourg. Leipzig. impression de B. G. Teubner. 1876. 8. 46 S.

120. **Kleemann,** Selmarus [Nordhusanus]: De libri tertii carninibus quae Tibulli nonine circumferuntur. Argentorati apud Carolum J. Truebner. 1876. 8. 68 S.

121. **Mangelsdorf,** Guilelmvs [Marchicvs]: Anecdota Chisiana de re metrica. Carolsrvhae, typis expressit B. Bravn, 1876. 4. 35 S.

122. **Moerschbacher,** Jacobus [Rhenanus]: Quibus fontibus Plutarchus in vita Demetrii describenda usus sit. Argentorati apud Carolum J. Truebner, 1876. 8. 44 S.

123. **Natorp,** Paulus [Rhenanus]: Quos auctores in ultimis belli Peloponnesiaci annis describerdis secuti siut Diodorus Plutarchus Cornelius Justinus. Argentorati apud Carolum J. Truebner. 1876. 8. II, 58 S.

124. **Roediger,** Max: Die Litanei und ihr Verhältnis zu den Dichtungen Heinrichs von Melk. (Separatabdruck aus der Zeitschrift für Deutsches Alterthum XIX.; Berlin, Weidmannsche Buchhandlung, 1876. 8. 106 S.

125. **Strauch,** Philipp: Ueber Marners Leben und Dichtungen. (Separat-Abdruck aus den Quellen und Forschungen zur Sprach- und Culturgeschichte der germanischen Völker, hrsg. von Bernhard ten Brink, Wilhelm Scherer, Elias Steinmeyer. XIV. Heft. S. 1—79.) Strassburg, Karl J. Trübner. London, Trübner & Comp., 1876. 8. 79 S.

126. **Wagner,** Albrecht: Ueber den Mönch von Heilsbronn. (Separat-Abdruck aus den Quellen und Forschungen zur Sprach- und Culturgeschichte der germanischen Völker, hrsg. von Bernhard ten Brink, Wilhelm Scherer, Elias Steinmeyer. XV. Heft, S. 1—34.) Strassburg, Karl J. Trübner. London, Trübner & Comp., 1876. 8. 34 S.

127. **Wissmann,** Theodor: Studien zu King Horn. (Separat-Abdruck aus den Quellen und Forschungen zur Sprach- und Culturgeschichte der germanischen Völker, hrsg. von Bernhard ten Brink, Wilhelm Scherer, Elias Steinmeyer. XVI. Heft. S. 1—33.) Strassburg, Karl J. Trübner. London, Trübner & Comp., 1876. 8. 33 S.

128. **Zimmer,** Heinrich: Ostgermanisch und Westgermanisch. Berlin, Weidmannsche Buchhandlung, 1876. 8. 70 S.

1876.

Mathematisch-Naturwissenschaftliche Fakultät.

129. **Alberti**, Rudolf [aus Goslar]: Untersuchungen über die Crotonsäure und Isocrotonsäure. Hildesheim, Druck von August Lax, 1876. 8. II, 30 S.

130. **Fuchs**, Friedrich [aus Meiningen]: Ueber Nitrosonaphtol. Strassburg, Univ.-Buchdr. v. J. H. Ed. Heitz, 1876. 8. 47 S.

131. **Heinzelmann**, Robert [aus Biberach]: Ueber einige neue Derivate der Schleimsäure. Strassburg. Buchdruckerei H. L. Kayser. 1876. 8. 32 S.

132. **Höhnel**, Franz von: Ueber den negativen Druck der Gefässluft. Wien. Buchdruckerei von Carl Gerold's Sohn. 1876. 8. II, 32 S.

133. **Ihlée**, Ernst [aus Crefeld]: Beiträge zur Kenntniss der Meconsäure, Comensäure und Pyromeconsäure. Donaueschingen. Druck der Alb. Willibald'schen Hofbuchdruckerei. 1876. 8. 32 S.

134. **Johannisjanz**, Absalon [aus Alexandropol. Kaukasien]: Ueber die Diffusion der Flüssigkeiten. Strassburg, Univ.-Buchdr v. J. H. Ed. Heitz, 1876. 39 S. u. 3 Taf.

135. **Klein**, Benno [aus Stolp i. P.]: Ueber die geradlinige Fläche dritter Ordnung und deren Abbildung auf einer Ebene. Berlin. Druck von H. S. Hermann. 1876. 8. 61 S.

136. **Puluj**, J.: Ueber die Abhängigkeit der Reihung der Gase von der Temperatur. (Aus dem LXXIII. Bande der Sitzb. der k. Akad. d. Wissensch. II. Abth. Mai-Heft. Jahrg. 1876.) (Aus der k. k. Hof- und Staatsdruckerei in Wien.) 8. 40 S. u. 1 Taf.

137. **Unger**, Hugo [aus Nordhausen]: Chemische Untersuchung der Contactzone der Steiger Thonschiefer am Granitstock von Barr-Andlau. (Separat-Abdruck aus dem Neuen Jahrbuch für Mineralogie, Geologie und Paläontologie. Jahrg. 1876.) Stuttgart, Druck der E. Schweizerbart'schen Buchdruckerei (E. Koch), 1876. 8. 27 S.

1877.

Theologische Fakultät.

138. **Lobstein,** P.: Die Ethik Calvins in ihren Grundzügen
entworfen. Ein Beitrag zur Geschichte der christlichen Ethik.
Strassburg, C. F. Schmidt's Universitäts-Buchhandlung (Friedr.
Bull), 1877. 8. 151 S.

1877.

Medizinische Fakultät.

139. **Eyles,** Peter Martin [aus Nennig]: Kritische Untersuchungen
über die Verdauung der Eiweisskörper in Darmkanal und ihre
Resorption durch die Darmwand (z. Th. nach einer von der med.
Fakultät in Strassburg mit den Preise gekrönten Schrift).
Strassburg, Buchdruckerei H. L. Kayser. 1877. 8. 50 S.

140. **Flocken,** Louis [pharmacien, ex-interne des hopitaux]:
Recherches des variatious de la tenpérature du corps pendant
l'anesthésie produite par le chloroforme administré en inhala-
tions. Strasbourg, imprimerie de J. H. Ed. Heitz, 1877. 8. 31 S.

141. **Focke,** Friedrich [appr. Arzt]: Ueber Secundärglaucom
nach adhärirenden Hornhautnarben. Strassburg, J. H. Ed. Heitz,
Univ.-Buchdr., 1877. 8. 32 S.

142. **Frank,** Gustav [approb. Arzt]: Ein Beitrag zur Behandlung der Pyaemie. Winpfen, C. Dieterich'sche Buchdruckerei,
1877. 8. 30 S.

143. **Frey,** Hermann [aus Zürich]: Anatomische Untersuchung
der Gefässnerven der Extremitäten. Berlin, Druck von Gebr.
Unger (Th. Grimm), s. a. (1877). 8. 32 S.

144. **Georgi.** Wilhelm [aus Berka a. W.]: Typhus, Pneumonie
und Nephritis in ihren Einflusse auf die Schwangerschaft.
Strassburg, Druck von H. L. Kayser, 1877. 8. 63 S.

145. **Goldschmidt.** H. [aus Berlin]: Untersuchungen über
den Einfluss von Nerven-Verletzungen auf die elektrische Er-
regbarkeit von Nerv und Muskel. Berlin, Druck von G. Bernstein, 1877. 8. 55 S.

146. **Harkawy,** Alexander [aus Russland]: Ueber basische Fäulniss-Producte der Bierhefe. Strassburg, Buch- und Steindruckerei von J. Schneider. 1877. 8. 21 S.

147. **Hertz,** F. [aus Bonn]: Ueber den Status epilepticus. Bonn, Universitäts-Buchdruckerei von Carl Georgi. 1877. 8. 36 S.

148. **Hoffmann,** Arthur [aus Darmstadt]: Ueber die Hippursäurebildung in der Niere. Leipzig, Druck von J. B. Hirschfeld, 1877. 8. 16 S.

149. **Jaffé,** Karl [aus Hamburg]: Ueber die Anwendung des Ferrum candens bei chronischen Gelenkkrankheiten. Strassburg, J. H. Ed. Heitz. Universitäts-Buchdrucker, 1877. 8. 36 S. u. 1 Taf.

150. **Jordan,** Seth N. [aus Columbus, Georgia, U. S. A.]: Beiträge zur Kenntniss der pharmakologischen Gruppe des Muscaries. Leipzig, Druck von J. B. Hirschfeld, 1877. 8. II, 16 S.

151. **Kasemeyer,** Rudolf [appr. Arzt aus Leopoldshöhe, Frstth. Lippe]: Beiträge zur antiseptischen und offenen Wundbehandlung. Strassburg, J. H. Ed. Heitz. Universitäts-Buchdrucker. 1877. 8. 36 S. u. 1 Tabelle.

152. **Kayser,** J. [aus Kreuznach. approb. Arzt]: Zur Anwendung der Elektricität in der Psychiatrie. Göttingen. Druck der Gebrüder Hofer, 1877. 8. 34 S.

153. **Mermod,** A.: Nouvelles recherches physiologiques sur l'influence de la dépression atnosphérique sur l'habitant des montagnes. Lausanne, inprinerie L. Corbaz & Comp., 1877. 8. 48 S. u. 8 Taf.

154. **Pistorius,** Joh.: Ueber die Anwendung des Druckverbandes bei Netzhautablösung. Strassburg. Karl J. Trübner, 1877. 8. 31 S.

155. **Storbeck,** Andreas [appr. Arzt aus Emden, Provinz Sachsen]: Beitrag zur Lehre vom Schichtstaar. Magdeburg. Druck von Feodor Schmitt. 1877. 8. 31 S.

156. **Straok,** Ernst [approb. Arzt aus Hanburg]: Ein Fall von Dorsalkyphotischem ,Becken ais der Strassburger Beckensammlung. Strassburg, Buchdruckerei H. L. Kayser. 1877. 8. 35 S.

157. **Swionteok,** Leopold [aus Pniow i. Gal.]: Ueber den Zusannenhang der Phthisis pulmonum mit der scheidenförmigen Verknöcherung der Rippenknorpel. Strassburg, Druck von Ed. Hubert & E. Haberer, 1877. 8. 36 S.

158. **Thilo,** Georg: Die Hypopyum-Keratitis. Eine klinisch-experimentelle Studie. Strassburg. Druck von H. L. Kayser, 1877. 8. 38 S.

159. **Wendt,** Ednund C. [aus New-York]: Ueber die Harder'sche Drüse der Säugethiere. Strassburg, Buchdruckerei von R. Schultz & Comp. (Berger-Levrault's Nachf.), 1877. 4. 28 S.

160. **Weyl,** Theodor [aus Berlin]: Beiträge zur Kenntniss thierischer und pflanzlicher. Eiweisskörper. (Separat-Abdruck ais der Zeitschrift für physiologische Chenie, I. Band. S. 72—100.) Strassburg, Verlag von Karl J. Trübner, 1877. 8. 29 S.

161. **Windmüller,** L. [appr. Arzt ais Oelde. Westf.]: Ueber das Durchscheinen von. Geschwülsten. Strassburg. J. H. Ed. Heitz, Universitäts-Buchdrucker. 1877. 8. 22 S.

162. **Zeiss,** Otto [aus Jena]: Mikroskopische Untersuchungen über den Bau der Schilddrüse. Strassburg, Buchdruckerei H. L. Kayser. 1877. 8. 50 S.

1877.

Philosophische Fakultät.

163. **Baltzer,** Martin [aus Giessen]: Zur Geschichte des deutschen Kriegswesens in der Zeit von den letzten Karolingern bis auf Kaiser Friedrich II. Leipzig. Verlag von S. Hirzel. 1877. 8. VIII. 116 S.

164. **Dessau,** Hermannus [Moenofrancofvrtensis]: De sodalibvs et flaminibvs avgvstalibvs. Berolini (Fornis Academicis, G. Vogt), 1877. 8. 25 S.

165.   **Faust,** Adolf: Zur indogermanischen Augmentbildung. Strassburg, Karl J. Trübner. London, Trübner & Comp., 1877. 8. 42 S.

166.   **Kannengiesser,** Paul: Dognatis n us und Skepticismus. Eine Abhandlung über das methodologische Problem in der vorkantischen Philosophie. Elberfeld, Verlag von Jobs. Fassbender, 1877. 8. VIII, 95 S.

167.   **Kuellenberg,** Richardus [Sleidensis]: De imitatione Theognidea. Argentorati apud Carolum I. Truebner, 1877. 8. 54 S.

168.   **Lichtenstein,** Franz: Eilbart von Oberge. I. Ueberlieferung. (Separat-Abdruck aus den Quellen und Forschungen zur Sprach- und Culturgeschichte der gernanischen Völker, hrsg. von Bernhard ten Brink, Wilheln Scherer, Elias Steinmeyer. XIX. Heft, Seite I—XLVII.) Strassburg, Karl J. Trübner. London, Trübner u. Comp., 1877. 8. 45 S.

169.   **Michel,** Daniel [Rapoltivillensis]: De Theopompi et Ephori rerum inde ab Ol. 92, t usque ad Ol. 96, 3 gestarum narrationibus. Argentorati ex typis J. H. Ed. Heitz, 1877. 8. 44 S.

170.   **Schmarsow,** August: Justus-Georgius Schottelius. I. Leibniz und Schottelius. (Separat-Abdruck aus den Quellen und Forschungen zur Sprach- und Culturgeschichte der germanischen Völker... NXIII. Heft. Seite I—XLIII.) Strassburg, Karl J. Trübner. London, Trübner u. Comp., 1877. 8. 43 S.

171.   **Virok,** Haus [aus Sülze in Mecklenburg]: Die Quellen des Livius und Dionysios für die älteste Geschichte der rönischen Republik (245—260). Strassburg, Buchdruckerei von R. Schultz & Comp. (Berger-Levrault's Nachf.), 1877. 8. 82 S.

1877.

Mathematisch-Naturwissenschaftliche Fakultät.

172.   **Binder,** F. [aus Nordleda]: Beiträge zur Kenntniss ungesättigter aromatischer Verbindungen. Schwerin. Hofbuchdruckerei von Dr. F. Bärensprung. 1877. 8. 33 S.

173. **Döderlein,** Ludwig |aus Bayreith, Assistent am zoologischen Institut zu Strassburg]: Ueber das Skelet des Tapirus Pinchacus. Bonn, Universitäts-Buchdruckerei von Carl Georgi, 1877. 8. 56 S.

174. **Goebel,** Karl [aus Reutlingen]: Entwicklungsgeschichte des Prothalliums von Gymnogramme Leptophylla. (Separatabdruck aus der Botanischen Zeitung 1877, Nr. 42—44.) :Druck von Breitkopf u. Härtel in Leipzig'. (1877'. 4. 20 S. u. 1 Taf.

175. **Lehmann,** Otto [aus Constanz]: Ueber physikalische Isomerie. Leipzig, Wilheln Engelnann, 1877. 8. 35 S. u. 1 Taf.

176. **Schmitz,** Alexander [aus Barmen]: Ueber einige neue Abkömmlinge des Phenanthrens und Fluorens. Elberfeld, gedruckt bei Sam. Lucas, 1877. 8. 31 S.

177. **Schmitz,** Hub. J.: Ueber die Constitution isomerer Nitro-U-Bronmesitylensäuren. Strassburg, Buchdruckerei von R. Schultz & Comp. (Berger-Levrault's Nachf.), 1877. 8. 36 S.

178. **Wilhelm,** Karl Adolf [aus Wien, Assistent am botanischen Institut der Universität Strassburg]: Beiträge zur Kenntniss der Pilzgattung Aspergillus. Berlin, Verlag von R. Friedländer u. Sohn, 1877. 8. 70 S.

179. **Zacharias,** E. [aus Hanburg]: Ueber die Anatonie des Stannes der Gattung Nepenthes. Strassburg, Druck von J. Schneider, 1877. 8. 32 S., 3 Taf.

1878.
Rechts- und Staatswissenschaftliche Fakultät.

180. **Farnam,** Henry W. [aus New Haven, Ver. St.]: Die innere französische Gewerbepolitik von Colbert bis Turgot. Leipzig, Duncker u. Humblot, 1878. 8. VIII, 85 S.

181. **Hellwig,** Conrad [Referendar zu Cassel]: Ueber die Haftung des veräussernden gutgläubigen Besitzers einer frenden Sache. Nach römischem Recht. Cassel, Friedr. Scheel'sche Buchdruckerei, 1878. 8. 85 S.

1878.

Medizinische Fakultät.

182. **Aepli**, Theodor [Assistenzarzt in Münsterlingen]: Die Hernia inguinalis bei m weibliche1 Geschlecht mit besoiderer Berücksichtig1ng eines ;alles von sehr grosser Hernia labialis. Leipzig, Druck von J. B. Hirschfeld, 1878. 8. IV. 23 S. u. 2 Taf. (welche fehlen).

183. **Bimmermann**, E. H. [aus Amsterdam]: Ueber den Einfluss der Nerve1 auf die lign eitzelle1 des Frosches. Strassb1rg, Buchdruckerei von J. Schneider, 1878. 8. 30 S.

184. **Demetriades**, Constantinus [aus Thasos]: Die Erfolge der Therapie gege1 den Tetamus in der letzte1 Zeit. Strassburg, Universitäts-Buchdruckerei von Joban1 Heinrich Eduard Heitz. 1878. 8. 58 S.

185. **Disqué**, L1dwig [aus Speier]: Ueber Urobilin. Strassb1rg, Karl J. Trübner, 1878. 8. 16 S.

186. **Flournoy**, Théodore [de Genève]: Contribution à l'étude de l'embolie graisse1se. Paris. J. B. Baillière & fils. Strasbourg, J. Noiriel, 1878. 8. VIII. 128 S.

187. **Gassner**, Carl [aus Mainz]: Ueber die bei dilatatio ventriculi vorkommenden tonischen Muskelkrämpfe und epileptiformen Anfälle. Strassb1rg, Universitäts-Buchdruckerei von Johann Heinrich Eduard Heitz, 1878. 8. 34 S.

188. **Gutsch**, L1dwig: Ueber die Ursachen des Schockes nach Operatio1e1 in der Ba1chhöhle. Halle a. S., Plötz'sche Buchdruckerei, 1878. 8. 42 S. u. 2 Taf.

189. **Hill**, J. W.: Ueber 'carcinoma uteri. Strassburg, Buchdruckerei von R. Sch1ltz & Comp. (Berger-Levrault's Nachfolger), 1878. 8. VI, 63 S.

190. **Huter**, E. [assistant de la clinique d'accouchements): Un nouveau bassin co1vert probablement spondylolisthésique. Strasbourg, inprinerie de R. Schultz & Comp., successeurs de Berger-Levrault, 1878. 8. 56 S.

191. **Jourowsky**, Denis: Beiträge z1r Behaidl11g der K1iescheibenbrüche. Strassb1rg, Buchdruckerei von R. Sch1ltz & Comp. (Berger-Levrault's Nachfolger), 1878. 8. 33 S.

192. **Kempner,** Gustav [approb. Arzt aus Berlin]: Ueber die in der Strassburger Entbindungs-Anstalt in dem Zeitraun vom 1. Juni 1874 bis 1. Januar 1877 vorgekommenen Operationen und Wochenbetts-Erkrankungen. Berlin. Enil Streisand, 1878. 8. 52 S.

193. **Koehler,** Georg [aus Fellin in Russland]: Studien über den Menstrualprocess bei Geistesgestörten. Strassburg, Buchdruckerei von H. L. Kayser, 1878. 8. 33 S.

194. **Korybutt-Daszkiewicz,** Waclaw [aus Litthauen]: Ueber die Degeneration und Regeneration der markhaltigen Nerven nach traumatischen Laesionen. Strassburg, Druck von Gustav Fischbach, 1878. 8. 38 S. u. 1 Taf.

195. **Kriesche,** Adolf [appr. Arzt]: Beiträge zur medicinischen Statistik und Topographie von Strassburg. Strassburg, Buchdruckerei von R. Schultz & Comp., Berger-Levrault's Nachfolger. 1878. 8. 62 S. u. 3 Taf.

196. **Laskarides,** Spyridon J. [aus Volo in Thessalien]: Ueber multiple symmetrische Lipome. Strassburg, Buchdruckerei Chr. Wurst, 1878. 8. 28 S. u. 2 Taf.

197. **Otz,** Alfred: Étude zur une modification du traitement de la pseudarthrose par la méthode de Dieffenbach. Strasbourg, imprimerie R. Schultz et Cie., succ. de Berger-Levrault, 1878. 8. 60 S.

198. **Wyder,** Theodor [aus Zürich]: Beiträge zur normalen und pathologischen Histologie der menschlichen Uterusschleimhaut. Leipzig, Druck von A. Th. Engelhardt, 1878. 8. 65 S.

199. **Wyler,** J.: Klinische Beiträge zur Pathologie der Neuritis. Strassburg, Universitäts-Buchdruckerei von Johann Heinrich Eduard Heitz. 1878. 8. 27 S.

1878.
Philosophische Fakultät.

200. **Book,** Ludwig: Ueber einige Fälle des mittelhochdeutschen Conjunctivs. (Separat-Abdruck aus den Quellen und Forschungen zur Sprach- und Culturgeschichte der germanischen Völker, hrsg. von Bernhard ten Brink, . . . Heft XXVII.) Strassburg, Karl J. Trübner. London, Trübner & Comp., 1878. II, 44 S.

201. **Boor,** Albert de [aus Hanburg]: Beiträge zur Geschichte des Speirer Reichstages vom Jahre 1544. Strassburg, Buchdruckerei von J. Schneider, 1878. 8. VIII, 127 S.

202. **Bvenger,** Georgivs [Bvrgensis]: De Aristophanis Equitvm Lysistratae Thesmophoriazvsarvm apvd Svidam reliqviis. Argentorati apud Carolum I. Trvebner, 1878. 8. 101 S.

203. **Constantinides,** Georgivs [Macedo]: De infinitivi lingvae graecae vvlgaris forum et vsv. Argentorati apvd Carolvm I. Truebner, 1878. 8. 35 S.

204. **Dadelsen,** Haus von: Die Paedagogik Melanchthon's. Stade, Druck von A. Pockwitz, 1878. 8. 60 S.

205. **Fraenkel,** Siegn und Beiträge zur Erklärung der mehrlautigen Bildungen im Arabischen. Leiden, E. J. Brill, 1878. 8. IV, 49 S.

206. **Gneisse,** Carolus [Numburgensis]: De versibus in Lucretii carnine repetitis. Argentorati apud Carolum I. Truebner, 1877. 8. 83 S.

207. **Heidenheimer,** Heinrich: Machiavelli's erste rönische Legation. Ein Beitrag zur Beleuchtung seiner gesandtschaftlichen Thätigkeit. Darnstadt, Buchdruckerei von G. Otto, 1878. 8. IV, 74 S.

208. **Heiligbrodt,** Robert: Fragment de Gormund et Isenhart. Text nebst Einleitung, Annerkungen und vollständigen Wortindex. I. Einleitung und Anmerkungen. (Separat-Abdruck aus den Roman. Studien, hrsg. v. Ed. Boehmer. Heft XII.) Strassburg, Karl J. Trübner, 1878. 8. 82 S.)

209. **Hirschfeld,** Hartwig [cand. phil.]: Jüdische Elemente im Korân. Ein Beitrag zur Korânforschung. Berlin, im Selbstverlag, 1878. 8. 71 S.

210. **Hoffmann,** Maximilianvs [Sedinensis]: Index grammaticvs ad Africae Provinciarvm Tripolitanae, Byzacenae Proconsvlaris titvlos latinos. Argentorati apud Carolum I. Truebner, 1878. 8. 166 S.

211. **Kluge**, Friedrich: Zum indogermanischen Vocalismus. (Separat-Abdruck aus den Quellen und Forschungen, Heft 32, Beiträge zur Geschichte der germanischen Conjugation. Strassburg, Karl J. Trübner. London, Trübner u. Comp., 1878. 8. 46 S.

212. **Luckenbach**, Hermannus [Rhenanus]: De ordine rerun a pugna apud Aegospotamos connissa usque ad triginta viros institutos gestarum. Argentorati apud Carolum I. Truebner, 1878. 8. 46 S. u. 1 Tabelle.

213. **Morf**, Heinrich: Die Wortstellung im altfranzösischen Rolandsliede. (Separat-Abdruck aus den Ronanischen Studien, herausgegeben von Eduard Boehmer.) Strassburg. Karl J. Truebner, 1878. 8. S (96 S.)

214. **Peine**, Henricus [Saxo-Borussus]: De dativi usu apud priscos scriptores latinos. Argentorati (typis A. Kelleri), 1878. 8. 99 S.

215. **Sadée**, Leonardus [Sedinensis]: De Dionysii Halicarnassensis scriptis rhetoricis quaestiones criticae. Argentorati apud Carolum I. Truebner, 1878. 8. 261 S.

216. **Schneidewin**, Hermannvs [Gottingensis]: De syllogis Theognideis. Argentorati apvd Carolvm I. Trvebner, 1878. 8. 41 S.

217. **Stehle**, Bruno [aus Signaringen]: Ueber ein Hildesheiner Formelbuch. Vornehmlich als Beitrag zur Geschichte des Erzbischofs Philipp I. von Koeln 1167—1191. Sigmaringen. Hofbuchhandlung von C. Tappen, 1878. 8. 67 S.

218. **Stock**, Hernann: Die Phonetik des „Roman de Troie" und der „Chronique des ducs de Normandie". (Separat-Abdruck aus den Ronanischen Studien, herausgegeben von Eduard Bochmer.) Strassburg. Karl J. Trübner, 1878. 8. (50 S.)

1878.

Mathematisch-naturwissenschaftliche Fakultät.

219. **Cohn**, Emil [aus Neustrelitz]: Ueber das thermo-electrische Verhalten gedehnter Drähte. Neustrelitz, Druck von G. F. Spalding & Sohn, 1878. 8. 40 S. u. 3 Taf.

220. **Fresenius**, Theodor Wilhelm [aus Wiesbaden]: Ueber den Phillipsit und seine Beziehungen zum Harmotom und Desmin. Leipzig, Wilhelm Engelmann, 1878. 8. 34 S.

221. **Gebhard**, Ferdinand [aus Göttingen]: Ueber das Fluoranthen, einen neuen Kohlenwasserstoff im Steinkohlentheer. Göttingen. Druck der Dietrichschen Univ.-Buchdruckerei. W. Fr. Kästner, 1878. 8. 30 S.

222. **Hintz**, Ernst [aus Worms]: Beiträge zur Kenntniss des Pyrens und seiner Derivate. Strassburg, Universitäts-Buchdruckerei von Johann Heinrich Eduard Heitz, 1878. 8. 31 S.

223. **Köbig**, Julius: Über die Bestandtheile des Rönisch-Kamillenöles. Strassburg. Buchdruckerei von J. Schneider, 1878. 8. 20 S.

224. **Petri**, Camille: Ueber die Constitution der Fumarsäure und der Maleïnsäure. Ueber Tribrombernsteinsäure und Dibromacrylsäure. Strassburg, Universitäts-Buchdruckerei von Johann Heinrich Eduard Heitz, 1878. 8. 36 S.

225. **Schimper**, A. F. W. [aus Strassburg i. E.]: Untersuchungen über die Proteinkrystalloide der Pflanzen. Strassburg. Universitäts-Buchdruckerei von Johann Heinrich Eduard Heitz, 1878. 8 S.

226. **Werveke**, Leopold van [aus Diekirch]: Das Mineralwasser von Mondorf und seine Beziehungen zum mittleren Muschelkalk. Strassburg. Druck von H. L. Kayser, 1878. 8. 37 S.

1879.
Theologische Fakultät.

227. **Lucius**, P. E. [Lic. theol.]: Die Therapeuten und ihre Stellung in der Geschichte der Askese. Eine kritische Untersuchung der Schrift De vita contemplativa. Strassburg. C. F. Schmidt's Universitätsbuchhandlung, Friedrich Bull. 1879. 8. 210 S.

1879.
Rechts- und Staatswissenschaftliche Fakultät.

228. **Eheberg**, Karl Theodor: Die Münzerhausgenossenschaften, hauptsächlich im 13. Jahrhundert. Ein Beitrag zur Geschichte der Münzverwaltung. Leipzig, Duncker & Humblot, 1879. 8. IV, 74 S.

1879.

Medizinische Fakultät.

229. **Bastelberger**, Maximilian Joseph [prakt. Arzt u. Assistent an physiologischen Institut der Universität Strassburg]: Experimentelle Prüfung der zur Drucksinn-Messung angewandten Methoden, nebst Angabe einer neuen verbesserten Methode. (Eine von der Universität Strassburg gekrönte Preisschrift.) Stuttgart, Druck von Gebrüder Kröner, 1879. 8. II, 70 S

230. **Bayer**, Heinrich: Ueber die Säuren der menschlichen Galle. Strassburg, Karl J. Trübner, 1879. 8. 21 S.

231. **Behrens**, Wilh. [prakt. Arzt]: Ueber den Verschluss des Ductus thoracicus. Strassburg, Universitäts-Buchdruckerei von Johann Heinrich Eduard Heitz, 1879. 8. 52 S.

232. **Fischer**, Fritz [aus Cöln]: Untersuchungen über die Lymphbahnen des Centralnervensystems. Bonn, Druck von P. Neusser, 1879. 8. 37 S. u. 3 Taf.

233. **Gast**, Alfred [approb. Arzt aus Dresden]: Experinentelle Beiträge zur Lehre von der Impfung. Leipzig, Walter Wigand's Buchdruckerei, 1879. 8. 28 S.

234. **Geoghegan**, Edward George: Ueber die Constitution des Cerebrins. Strassburg, Karl J. Trübner, 1879. 8. 9 S.

235. **Glan**, Heico von [cand. med. aus Weenernoor in Ostfriesland]: Beitrag zur Casuistik über angeborene Blasenspalte und Epispadie mit besonderer Berücksichtigung der einzelnen Operationsmethoden. Strassburg, Buchdruckerei von G. Fischbach, 1879. 8. 65 S. u. Tabelle.

236. **Hadra**, S. [pract. Arzt aus Berlin]: Ueber die Einwirkung der comprimirten Luft auf die Harnstoffausscheidung beim Menschen. Berlin, Buchdruckerei von L. Schumacher, 1879. 8. 26 S.

237. **Happach**, Karl [aus Dessau]: Begriff und Ursachen der Ozaena. Strassburg, 1879. (Druck von Ed. Frommann in Jena.) 8. 36 S.

238. **Hirschberg**, Willian [pract. Arzt aus Eibenstock i. Sachsen]: Beitrag zun Empyem bei Kindern. Leipzig, Buchdruckerei von Grinne & Trömel, 1879. 8. 89 S.

239. **Hoffmann**, Hugo [aus Carlsruhe in Baden]: Ueber „Henichorea posthemiplegica". (Weir Mitchell und Charcot). Carlsruhe, W. Hasper'sche Hofbuchdruckerei (A. Horchler & Co.), 1879. 8. 62 S. u. 2 Taf.

240. **Homburger**, Leopold [approb. Arzt aus Carlsruhe]: Untersuchungen über croupöse Pneumonie angestellt an den Material der medicinischen Klinik zu Strassburg vom Winter 1877—1878. Strassburg, Buchdruckerei von R. Schultz & Comp. (Berger-Levrault's Nachf.), 1879. 8. 116 S. u. 3 Taf.

241. **Jaeger**, August [approb. Arzt aus Kirchhein u. Teck]: Beiträge zur Casuistik der Kleinhirntumoren. Tübingen, Druck von Ludwig Friedrich Pues, 1879. 8. 48 S. u. 1 Taf.

242. **Jarmersted**, Alexander v.: Ueber das „Scillaïn." Leipzig, Druck von J. B. Hirschfeld, 1879. 8. II, 17 S.

243. **Izquierdo**, Vicente [aus Santiago, Chile]: Beiträge zur Kenntniss der Endigung der sensiblen Nerven. Strassburg, Universitäts-Buchdruckerei von Johann Heinrich Eduard Heitz, 1879. 8. 80 S.

244. **Kaltenbach**, Paul [appr. Arzt aus Saargemünd]: Die Lactosurie der Wöchnerinnen. Stuttgart, Druck von Gebrüder Kröner, (1879). 8. IV, 19 S.

245. **Kummer**, Adolphe [appr. Arzt aus Ingweiler i. E.]: Die Resection des Hüftgelenks nit vorderen Längsschnitt. Strassburg, Buchdruckerei von R. Schultz & Comp., Berger-Levrault's Nachfolger, 1879. 8. 45 S.

246. **Makrocki**, Fritz [cand. med. aus Tilsit, Ostpreussen]: Beitrag zur Pathologie der Bauchdeckenbrüche, nit Einschluss der sogenannten Lumbarhernien. Strassburg, Buchdruckerei von G. Fischbach, 1879. 8. 61 S.

247. **Merling**, H. [aus Birkenfeld]: Beiträge zur Casuistik der Tracheotomie bei Croup und Diphtheritis. Strassburg, Buchdruckerei von R. Schultz & Comp. (Berger-Levrault's Nachfolger), 1879. 8. 43 S.

248. **Oldekop, J.** [approb. Arzt]: Statistische Zusammenstellung der in der Klinik des Herrn Prof. Dr. F. Esmarch zu Kiel in den Jahren 1850—1878 beobachteten 250 Fälle von Mamma-Carcinom. Berlin, gedruckt bei L. Schumacher, 1879. 8. 101 S.

249. **Oench,** F. E. d' [aus St. Louis, Mo., U. S. A.]: Beiträge zur Kenntniss der ectopia lentis congenita. (Separat-Abdruck aus Knapp-Hirschfeld's Archiv für Augenheilkunde, IX.) Wiesbaden, J. F. Bergmann, 1879. 8. 37 S.

250. **Plönies,** W. [cand. med.]: Beitrag zur Lehre von der Staaroperation. Frankfurt a/M., Druck von Kunpf & Reis, 1879. 8. 138 S.

251. **Poensgen,** Eugen [aus Düsseldorf]: Das subcutane Emphysem nach Continuitätstrennungen des Digestionstractus, insbesondere des Magens. Strassburg, Buchdruckerei von R. Schultz & Comp., Berger-Levrault's Nachfolger, 1879. 8. 72 S. u. Index.

252. **Schmidt,** Christian [aus Mainz]: Beiträge zur anatomischen und klinischen Kenntniss der intraligamentären Eierstockstumoren. Mainz, Hofbuchdruckerei von Joh. Wirth, 1879. 8. 24 S.

253. **Schwarz,** Carl [prakt. Arzt aus Lyck in Ost-Preussen]: Beitrag zur Lehre von der seniotischen Bedeutung der physiologischen Hallucinationen. Berlin, Buchdruckerei von Gustav Schade (Otto Franke), 1879. 8. 42 + 1 S.

254. **Tils,** Ernst [appr. Arzt aus Gemünd]: Das Scharlachfieber und seine Complicationen an der Strassburger Kinderklinik. Strassburg, bei Karl J. Trübner, 1879. 8. 36 S.

255. **Werner,** Carl [pract. Arzt aus Jessnitz i. Anh.]: Die Trepanation der Wirbelsäule bei Wirbelfracturen. Strassburg, Buchdruckerei von R. Schultz & Comp., Berger Levrault's Nachfolger, 1879. 8. 76 S.

256. **Wieger,** Leo [aus Strassburg i. E.]: Ueber hyaline Entartungen in den Lymphdrüsen. (Separatabdruck aus Virchow's Archiv für pathologische Anatomie und Physiologie und für klinische Medicin. 78. Band 1879.) Berlin, gedruckt bei G. Reiner, 1879. 8. 30 S. u. 1 Taf.

1879.

Philosophische Fakultät.

257. **Danker,** Otto: Die Laut- und Flexionslehre der nittelkehtischen Denkmäler. Nebst ronanischen Wortverzeichniss. Strassburg, Karl J. Trübner. London, Trübner & Comp., 1879. 8. IV, 63 S.

258. **Harseim,** Friedrich: Vocalisnus und Consonantismus im Oxforder Psalter. (Separat-Abdruck aus den Ronanischen Studien, hrsg. von Ed. Bœhmer.) Bonn, Eduard Weber's Verlag (Julius Flittner), 1879. 8. (47 S.)

259. **Horning,** Adolf: Le pronon neutre il en langue d'oïl. (Separat-Abdruck aus den Romanischen Studien, hrsg. von Eduard Boehmer). Bonn, Eduard Weber's Verlag (Julius Pittner), 1879. 8. (54 S.)

260. **Janitsoh,** Julius: Kauts Urteile über Berkeley. Strassburg, 1879. (Karlsruhe, Macklot'sche Drickerei.) 8. VI, 57 S.

261. **Kienitz,** Otto [Gorlicensis]: De Qvi localis nodalis apud priscos scriptores latinos vsv. Lipsiae, typis B. G. Tevbneri, 1879. 8. S. 527—574. (Paginarum nuneri sunt supplenenti decini annalium philologicorum.) (48 S.)

262. **Miohel,** Ferdinand [aus Frankfurt a. M.]: Heinrich von Morungen und die Troubadours. Ein Beitrag zur Betrachtung des Verhältnisses zwischen deutschen und provenzalischen Minnegesang. (Separat-Abdruck aus Quellen und Forschungen, Heft XXXVIII.) Strassburg, Karl J. Trübner, 1879. 8. 73 S.

263. **Reusoh,** Adam [Nassovius]: De diebus contionum ordinariarum apud Athenienses. Argentorati apud Carolum I. Truebner, 1879. 8. IV, 42 S.

264. **Schroeder,** Iohannes [Silesivs]: De fragmentis Anphitrvonis Plavtinae (particvla prior). (Typis Breitkopfii & Haertelii Lipsiensium.) Argentorati, 1879. 8. 36 S.

265. **Thielmann,** Philippus [Caesarea-Lutrensis]: De sermonis proprietatibus ¿uae leguntur apud Cornificium et in prinis Ciceronis libris. Argentorati apud Carolum I. Truebner, 1879 8. 113 S.

1879.

Mathematisch-Naturwissenschaftliche Fakultät.

266. **Engelhorn,** Fr. [aus Mannhein]: Beiträge zur Kenntniss ungesättigter Säuren. Strassburg, Universitäts-Buchdruckerei von Johann Heinrich Eduard Heitz, 1879. 8. 44 S.

267. **Gruenling,** Fr. [aus Freiburg i/B.]: Beiträge zur Kenntniss der Terpene. Strassburg, Universitäts-Buchdruckerei von Johann Heinrich Eduard Heitz, 1879. 8. 30 S.

268. **Howe,** Allen B. [Troy, N. Y.]: On the ethocrotonic acid and the nono- and dibromdiethacetic acids. Troy, N. Y., Wm. H. Young, 1879. 8. 44 S.

269. **Jourdan,** Friedrich [aus Mainz]: Ueber mono- und diheptylsubstituirte Acetessigäther und deren Spaltungsprodukte. Mainz, Buchdruckerei von Florian Kupferberg, 1879. 8. 47 S.

270. **Klebs,** Georg [aus Neidenburg, Assistent am botanischen Institut der Universität Strassburg]: Ueber die Formen einiger Gattungen der Desmidiaceen Ostpreussens. Königsberg, Druck der Universitäts-Buch- und Steindruckerei von E. J. Dalkowski, 1879. 4. 42 S.

271. **Krause,** Richard [aus Ratzdorf, Pr. Brandenburg]: Über ein specielles Gebüsch von Flächen zweiter Ordnung. Strassburg, Buchdruckerei von R. Schultz & Comp., Berger-Levrault's Nachfolger, 1879. 8. 43 S.

272. **Landsberg,** Ludwig [aus Offenbach a/M.]: Ueber die Constitution der Hydrosorbinsäure. Strassburg, Universitäts-Buchdruckerei von Johann Heinrich Eduard Heitz, 1879. 8. 29 S.

273. **Liepmann,** Henry [aus Glasgow]: Beiträge zur Kenntniss des Fluoranthens und seiner Derivate. Strassburg, Universitäts-Buchdruckerei von Johann Heinrich Eduard Heitz, 1879. 8. 45 S.

274. **Pagenstecher,** Alexander [aus Wiesbaden]: Untersuchungen über Tiglinsäure und Angelicasäure. Strassburg, Universitäts-Buchdruckerei von Johann Heinrich Eduard Heitz, 1879. 8. 39 S.

275. **Schmidt**, Hern ann [aus Hannover]: Beiträge zur Kennt-
uiss der Diphenylbasen, Diphenole und Diphenylbenzole. Hannover, Druck von Wilh. Riemschneider, 1879. 8. 66 S.

1880.

Theologische Fakultät.

276. **Simons**, Eduard [Lic. theol.]: Hat der dritte Evangelist
den kanonischen Matthäus benutzt? Bonn, Universitäts-Buchdruckerei von Carl Georgi, 1880. 8. 112 S.

1880.

Medizinische Fakultät.

277. **Arning**, E. [aus Manchester]: Ein Fall von Pyometra
lateralis nit epikritischen Bemerkungen zur Differentialdiagnose
complicirter Fälle. Strassburg, Buchdruckerei von R. Schultz
& Co., 1880. 8. 37 S.

278. **Asch**, Julius [aus Thorn, W/Pr.]: Zur Pathologie der
chronischen Darminvaginationen. Mainz, Druck von Carl
Hellermann, 1880. 8. 32 S.

279. **Eninger**, Philipp [aus Cleeburg i. E.]: Ueber die Per-
cussion der Knochen. Strassburg, Buchdruckerei von R. Schultz
& Comp., 1880. 8. 63 S. u. 1 Taf.

280. **Ewald**, Jul. Rich. [aus Berlin]: Der nornale Athmungs-
druck und seine Curve. Strassburg, Druck von G. Fischbach,
1880. 8. 19 S.

281. **Frank**, Eduard [aus Mainz]: Ueber die Operation con-
plicirter Fibromyome des Uterus insbesondere über die Entwickelung von Hautenphysen nach der Operation. Mainz,
Hofbuchdruckerei von Joh. Wirth, 1880. 8. 27 S.

282. **Frey**, Albert: Étude sur un procédé de nensuration du
bassin au noyeu de tiges flexibles avec un essai sur l'histoire
de la pelvimétrie. Strasbourg, inprimerie de R. Schultz & Comp.
1880. 8. 83 S. u. 2 Taf.

283. **Hartmann,** Charles [de Bouxwiller, Bas-Rhin]: Contributions à l'histoire des tumeurs lymphatiques. Strasbourg, inprinerie de R. Schultz & Comp., 1880. 8. 77 S.

284. **Jaeger,** Julius [aus Sulz u. Wald, pract. Arzt, Assistent an der medicinischen Klinik]: Über Punctionen der Milz zu therapeutischen Zwecken, insbesondere bei lienaler Leukaemie. Strassburg, Buchdruckerei von R. Schultz & Comp., 1880. 8. 66 S. u. 1 Taf.

285. **Kempf,** Georg [aus Offenburg]: Ueber den Mechanismus der Wanderung der wachsenden Beckentumoren, speciell der Ovarialtumoren, aus der Beckenhöhle in die Bauchhöhle. Offenburg, Druck von A. Reiff & Cie., 1880. 8. 30 S. u. 1 Taf.

286. **Koch,** Paul [approb. Arzt aus Friedland, Mecklenburg-Strelitz]: Über die Heilung der durch das runde Geschwür verursachten Perforationen des Magens mit Eröffnung der Bauchhöhle. Strassburg, Buchdruckerei von G. Fischbach, 1880. 8. 40 S.

287. **Krellwitz,** Eduard Karl [aus Ofen]: Über die Innervation der hinteren Lymphherzen bei Rana. Strassburg, Buchdruckerei von R. Schultz & Comp. (Berger-Levrault's Nachfolger), 1880. 8. 53 S.

288. **Ledderhose,** Georg [appr. Arzt]. Ueber Glykosamin. Strassburg, Karl J. Trübner, 1880. 8. 23 S.

289. **Lentz,** Nicolaus [approbirter Arzt, Assistenz-Arzt am Bürgerhospital zu Strassburg]: Beitrag zur gynäkologischen Untersuchung. Die Untersuchung in Suspension. Strassburg, Buchdruckerei von R. Schultz & Comp., 1880. 8. 39 S.

290. **Meyer,** Eugen [pract. Arzt]: Kritisch-historische Betrachtungen über Tabes dorsalis. Strassburg, Buchdruckerei von R. Schultz & Comp., 1880. 8. 101 S.

291. **Morgenstern,** Rudolf: Das chirurgische Nähmaterial. Berlin, gedruckt bei L. Schumacher, 1880. 8. VIII, 46 S.

292. **Preetorius,** A. [approb. Arzt aus Mainz]: Die Behandlung der Uraemie in Kindesalter mit pilocarpinum muriaticum. Leipzig, Druck von B. G. Teubner, 1880. 8. 37 S.

293. **Roller,** C. F. W. [approb. Arzt]: Der centrale Verlauf des Nervus accessorius Willisii. Berlin, Druck von G. Reiner, 1880. 8. 23 S. u. 1 Taf.

294. **Ruhlmann,** Eugène [de Strasbourg]: Considérations sur un cas de goitre kystique rétro-pharyngien. Strasbourg, imprimerie de J. H. Ed. Heitz, 1880. 8. 47 S.

295. **Scheffer,** Alfred [appr. Arzt, Assistent der Kinderklinik in Strassburg i. E.]: Ueber einen Fall von Milz- und Magenkrebs im Kindesalter. Leipzig, Druck von B. G. Teubner, 1880. 8. 20 S.

296. **Schuchardt,** F.: Ueber die anatomischen Veränderungen bei Dementia paralytica in Beziehung zu den klinischen Erscheinungen. Bonn, Universitäts-Buchdruckerei von Carl Georgi, 1880. 8. 54 S.

297. **Smidt,** Hermann [pract. Arzt aus Bremen]: Über das Vorkommen der Hysterie bei Kindern. Leipzig, Druck von B. G. Teubner, 1880. 8. 22 S.

298. **Sorgius,** Wilhelm [approb. Arzt aus Schiltigheim i. E.]: Über die Lymphgefässe der weiblichen Brustdrüse. Strassburg, Buchdruckerei von R. Schultz & Comp., 1880. 8. 28 S.

299. **Wartmann,** Auguste-Henry [de Genève]: Recherches sur l'enchondrome, son histologie et sa genèse. Genève et Bâle, H. Georg, libraire-éditeur, Paris, G. Masson, libraire-éditeur, 1880. 8. 92 S. u. 4 Taf.

300. **White,** T. P. [aus Kentucky]: Über die Wirkungen des Zinns auf den thierischen Organismus. Leipzig, Druck von J. B. Hirschfeld, 1880. 8. 19 S.

301. **Wolff,** Carl Heinrich [approb. Arzt von Oberbronn, Elsass]: Ueber Perinealhernien. Strassburg, Druck von G. Fischbach, 1880. 8. 26 S. u. 2 Taf.

1880.

Philosophische Fakultät.

302. **Beneke,** Fridericus [Hannoveranus]: De arte metrica Callimachi. Argentorati 1880. (Lipsiae typis Poeschelii et Treptii.) 8. 53 S.

303.	**Fahrenbruch,** Friedrich [aus Rossla a. Harz]: Zur Geschichte König Manfreds. Rossla. Buchdruckerei von R. Kæmmerer, 1888. 8. 47 + 1 S.

304.	**Groebedinkel,** Paul: Der Versbau bei Philippe Desportes und François de Malherbe. (Separat-Abdruck aus den Französischen Studien, herausgegeben von G. Körting und E. Koschwitz. Verlag von Gebr. Henninger in Heilbronn.) Altenburg, Pierer'sche Hofbuchdruckerei, Stephan Geibel & Co., 1880. 8. 48 S.

305.	**Groth,** Adolfus [Suerinensis]: De M. Terentii Varronis de lingua latina librorum codice Florentino. Argentorati apud Carolum I. Truebner, 1880. 8. 68 S.

306.	**Hart,** Gustavus [Sedinensis]: De Tzetzarum nonine, vitis, scriptis. Lipsiae, typis B. G. Teubneri, 1880. 8. 32 S.

307.	**Heydemann,** Victor [Sedinensis]: De senatu Athenensium quaestiones epigraphicae selectae. Argentorati, apud Carolum I. Truebner, 1880. 8. 55 S.

308.	**Heymach,** Ferdinand: Gerhard von Eppenstein Erzbischof von Mainz. Erster Theil. Strassburg, Karl J. Trübner, 1880. 8. 70 S.

309.	**Ingenbleeck,** Theodor: Ueber den Einfluss des Reines auf die Sprache Otfrids, besonders in Bezug auf Laut- und Formenlehre. Strassburg, Karl J. Trübner, 1880. 8. II, 46 S.

310.	**Kupferschmidt,** Max: Die Haveloksage bei Gaimar und ihr Verhältniss zun Lai d'Havelok. (Separat-Abdruck aus den Romanischen Studien, hrsg. von Eduard Boehner, [IV], S. 411—430.) Bonn, Eduard Weber's Verlag (Julius Flittner), 1880. 8. II, (20 S.).

311.	**List,** Willy: Syntaktische Studien über Voiture. (Separat-Abdruck aus den Französischen Studien, hrsg. von Körting & Koschwitz.) Altenburg, Pierer'sche Hofbuchdruckerei, Stephan Geibel & Co., 1880. 8. IV, 40 S.

312.	**Märtens,** Paul: Zur Lanzelotsage. Eine litterarhistorische Untersuchung. (Separat-Abdruck aus den Romanischen Studien, hrsg. von Eduard Boehner.) Bonn, Eduard Weber's Verlag (Julius Flittner), 1880. 8. S. 557—648. (92 S.)

313. **Pickel,** Carolus [Isenacensis]: De versuum dochmiacorum origine. Argentorati apud Carolum I. Truebner, 1880. 8. 55 S.

314. **Post,** B. [aus Ahlei in Westfalen]: Ueber das Fodrum. Beitrag zur Geschichte des italienischen und des Reichssteuerwesens im Mittelalter. Strassburg, Karl J. Trübner. 1880. 8. 50 + 3 S.

315. **Primer,** Sylvester: Die consonantische Deklination in den germanischen Sprachen. I. Abtheilung · Die consonantische Deklination im Altnordischen. Strassburg, Karl J. Trübner, 1880. 8. 64 S.

316. **Puchstein,** Otto [Pomeranus]: Epigrammata graeca in Aegypto reperta. Argentorati apud Carolum I. Truebner, 1886. 8. 78 S. u. 2 Taf.

317. **Pulch,** Paulus [Wiesbadensis]: De Eudociae quod fertur violario. Argentorati apud Carolum I. Truebner, 1880. 8. 44 S.

318. **Ries,** John: Die Stellung von Subject und Prädicatsverbum im Héliand. Ein Beitrag zur germanischen Wortstellungslehre. Strassburg, Karl J. Trübner, 1880. 8. VIII, 42 S.

319. **Rose,** Hernann: Über die Metrik der Chronik Fantosme's. (Separat-Abdruck aus den Ronanischen Studien, herausgegeben von Eduard Boehmer.) Bonn, Eduard Weber's Verlag (Julius Flittner), 1880. 8. S 301 – 382. (82 S.)

320. **Schaffner,** Alfred [aus Gumperda]: Lord Byron's Caiu und seine Quellen. Strassburg, Karl J. Trübner, 1880. 8. 48 S.

321. **Schmidt,** Adolf: Guillaume, le clerc de Nornandie, insbesondere seine Magdalenenlegende. (Separat-Abdruck aus den Ronanischen Studien herausgegeben von Eduard Boehmer.) Bonn, Eduard Weber's Verlag (Julius Flittner), 1880. 8. S. 493—536. (44 S.)

322. **Schwan,** Eduard: Philippe de Remi, Sire de Beaunanoir, und seine Werke. (Separat-Abdruck aus den Ronanischen Studien herausgegeben von Eduard Boehmer.) Bonn, Eduard Weber's Verlag (Julius Flittner), 1880. 8. S. 351—400. (51 S.)

323. **Uhlemann,** Enil: Über die anglonormannische Vie de Seint Anban in Bezug auf Quelle, Lautverhältnisse und Flexion. (Separat-Abdruck aus den Romanischen Studien herausgegeben von Eduard Boehmer.) Bonn, Eduard Weber's Verlag (Julius Flittner), 1880. 8. S. 543—591. (49 S.)

324. **Vogt,** Felix [Bernensis]: De netris Pindari quaestiones tres. Argentorati apud Carolum I. Truebner, 1880. 8. 55 S.

325. **Wehrmann,** Karl: Beiträge zur Lehre von den Partikeln der Beiordnung in Französischen. (Separat-Abdruck aus den Ronanischen Studien herausgegeben von Eduard Boehmer.) Bonn, Eduard Weber's Verlag (Julius Flittner), 1880. 8. S. 383—444. (62 S.)

326. **Weidner,** Gustav: Die handschriftliche Ueberlieferung des Joseph von Arimathia. Oppeln, Eugen Franck's Buchhandlung (Georg Maske), 1880. 8. LXV S.

327. **Zarnoke,** Eduardus [Lipsiensis]: De vocabulis graecanicis quae traduntur in inscriptionibus carninun Horatianorum. Argentorati apud Carolum I. Truebner, 1880. 8. 47 S.

1880.

Mathematisch-Naturwissenschaftliche Fakultät.

328. **Bredt,** Julius [aus Barmen]: Ueber das Lacton der Isocapronsäure und die Constitution der Lactone. Strassburg, Universitäts-Buchdruckerei von Johann Heinrich Eduard Heitz, 1880. 8. II, 34 S.

329. **Elkin,** William L.: Über die Parallaxe von α Centauri. Karlsruhe, Druck der G. Braun'schen Hofbuchdruckerei, 1880. 4. 44 S.

330 **Fock,** Andreas [aus Böbs, Fürstenthum Lübeck]: Über die Änderung der Brechungsexponenten isonorpher Mischungen nit deren chenischer Zusannensetzung. Leipzig, Wilheln Engelnann, 1880. 8. IV, 26 S.

331. **Hartwig,** Ernst [Assistent der Kaiserlichen Universitäts-Sternwarte]: Beitrag zur Bestinnung der physischen Libration des Mondes aus Beobachtungen an Strassburger Heliometer. Karlsruhe, Druck der G. Braun'schen Hofbuchdruckerei, 1880. 4. 51 S.

332. **Hirsch,** Robert [aus Danzig]: Ueber das Chinonchlorimid und ähnliche Verbindungen. Berlin, Druck von H. S. Hermann, (1880). 8. 28 S.

333. **Kast,** Hernann [aus Landau i. d. Pfalz]: Vergleichende Untersuchung der Atrolactin- und der Phenylmilchsäure. Ueber Atroglycerinsäure. Landau, Ed. Kaussler's Buchdruckerei, 1880. 8. 26 S.

334. **Kilbinger,** Georg [aus Cadenbach, Reg.-Bez. Wiesbaden]: Problen der honologen Kreise in collinearen Räumen. Bonn, Universitäts-Buchdruckerei von Carl Georgi, 1888. 8. 28 + 1 S.

335. **Küstner,** Friedrich [aus Görlitz]: Bestinnungen des Monddurchnessers aus neun Plejadenbedeckungen des Zeitraumes 1839 bis 1876, mit gleichzeitiger Ernittlung der Oerter des Mondes. Halle, Druck von E. Blochmann & Sohn in Dresden, 1880. 4. (112 S.).

336. **Messerschmidt,** Alfred [aus Hanburg]: Untersuchungen über die Bron- und Bromwasserstoff-Additionsproducte der Allylessigsäure und das Valerolacton. Hanburg, Druck von Th. G. Meissner, 1880. 8. 35 S.

337. **Posen,** Eduard [aus Offenbach a/M.]: Ueber aronatische Glycocolle. Strassburg, Universitäts-Buchdruckerei von Johann Heinrich Eduard Heitz, 1880. 8. 35 S.

338. **Power,** Frederick B. [of Hudson, N. Y. Assistant at the Laboratory of the Pharnaceutical Institute]: On the constituents of the rhizone of Asarun Canadénse, Linn. Strasbourg, typographie & lithographie A. Dusch, 1880. 8. 42 S. u. 2 Taf.

1881.
Theologische Fakultät.

339. **Horst,** L. [lic. theol.]: Leviticus XVII.—XXVI und Hezekiel. Ein Beitrag zur Pentateuchkritik. Colnar, Verlag von Eugen Barth, 1881. 8. 96 + 1 S.

1881.
Rechts- und Staatswissenschaftliche Fakultät.

340. **Larrinaga,** Franz G. de: Die wirthschaftliche Lage Cuba's anknüpfend an die Entwickelung der Insel. Leipzig, Duncker & Humblot, 1881. 8. VIII, 158 S.

341. **Meyer.** Hans H. J.: Die Strassburger Goldschmiedezunft von ihren Entstehen bis 1681. Ein Beitrag zur Gewerbegeschichte des Mittelalters. Leipzig, Duncker & Humblot, 1881. 8. 84 S.

342. **Rathgen,** Karl [aus Weinar]: Die Entstehung der Märkte in Deutschland. Darmstadt, Buchdruckerei von G. Otto, 1881. 8. 68 S.

343. **Sering,** Max: Die preussischen Eisenzölle 1818—1833 mit einer historischen Einleitung. Leipzig, Duncker & Humblot, 1881. 8. 61 S.

344. **Struck,** Emil: Die Effektenbörse. Eine Vergleichung deutscher und englischer Zustände. Leipzig, Duncker & Hunblot, 1881. 8. IV, 82 S.

1881.

Medizinische Fakultät.

345. **Cahn,** Arnold [aus Worns, appr. Arzt]: Zur physiologischen und pathologischen Chenie des Auges. Strassburg, bei Karl J. Trübner, 1881. 8. 22 S.

346. **Dietz,** Enil [aus Barr, Elsass]: Neue Beobachtungen über die Hernien des Zwerchfells. Strassburg, Buchdruckerei von R. Schultz & Comp., 1881. 8. 31 S.

347. **Farwick,** Heinrich [approb. Arzt aus Hiddingsel in Westphalen]: Ueber einseitige Hyperidrosis. Mainz, Druck von Joh. Falk III, 1881. 8. 64 S.

348. **Goetz,** Carl [approb. Arzt aus Eltville a. Rh.]: Multipler Echinococcus des Unterleibs bei einen zwölfjährigen Kinde mit gleichzeitiger Obliteration der Vena cava inferior und Pyelonephritis beides herbeigeführt auf dem Wege der Compression. Druck von B. G. Teubner in Leipzig, 1881. 8. 30 S.

349. **Kauffmann,** Friedrich [aus Mergentheim]: Zur Diagnose der schwieligen Myokarditis. Stuttgart, Druck von Reisbarth & Woelffel. 1881. 8. 52 S.

350. **Landwehr,** H. A.: Untersuchungen über das Mucin der Galle und das der Submaxillardrüse. Strassburg, Buchhandlung von Karl J. Trübner, 1881. 8. 15 S.

351. **Lehmann,** Georg [approb. Arzt, Assistent an der psychiatrischen Klinik, aus Riesa, Königr. Sachsen]: Ueber den Einfluss epileptischer Anfälle auf das Körpergewicht. Strassburg, Universitäts-Buchdruckerei von Johann Heinrich Eduard Heitz, 1881. 8. 29 + 1 S.

352. **Liebe,** Martin [Arzt]: Beiträge zur Lehre von der traumatischen Entstehung der Sarcone und Enchondrome. Berlin, gedruckt bei L. Schunacher, 1881. 8. 67 S.

353. **Messner,** A.: Beiträge zur pathologischen Anatonie des Nervensystens. Stuttgart, Druck der J. B. Metzler'schen Buchdruckerei, 1881. 8. 23 S.

354. **Müller,** Franz Carl [approb. Arzt aus Baden-Baden]: Ueber psychische Erkrankungen bei acuten fieberhaften Krankheiten. Kiel, Druck von C. F. Mohr (P. Peters), 1880. (soll 1881 heissen). 8. 82 + 1 S.

355. **Nourney,** Adolf [pract. Arzt in Mettnann]: Experimentelle Beiträge zur Lehre von der Impfing. Strassburg, Universitäts-Buchdruckerei von J. H. Ed. Heitz, 1881. 8. 48 S. u. 3 Tabellen.

356. **Rudeloff,** Friedrich [approb. Arzt aus Stargard, Mecklenburg-Strelitz]: Ueber Spaltung der hinteren Urethralwand und über Defect des ganzen Septum urethrovaginale. Strassburg, Universitäts-Buchdruckerei von Johann Heinrich Eduard Heitz, 1881. 8. 30 S.

357. **Seligmann,** Heinrich [aus Mainz]: Die Hypospadie bein Weihe. Ein Beitrag zur Lehre von den Hemmungsbildungen. (Mannheimer Vereins-Druckerei.) Strassburg, 1881. 8. 33 S. u. 1 Taf.

358. **Ungerer,** L. [approb. Arzt aus Strassburg]: Ueber Knochenfragmente als Fremdkörper in den Harnwegen. Strassburg, Buchdruckerei von G. Fischbach, 1881. 8. 69 S.

359. **Wagner,** Adolph [aus Odessa]: Beitrag zur operativen Behandlung des angebornen Klumpfusses. Strassburg, Buchdruckerei von R. Schultz & Comp., 1881. 8. 54 S.

360. **Zesas,** Denis G. [aus Zante]: Wirkung arseniger Säure auf gesunde und kranke Haut. Strassburg, Universitäts-Buchdruckerei von J. H. Ed. Heitz, 1881. 8. 21 S.

1881.

Philosophische Fakultät.

361. **Deipser,** Bernhardus [Eisfeldensis]: De P. Papinio Statio Vergilii et Ovidii imitatore. Accedit appendix critica. Argentorati apud Carolum I. Truebner, 1881. 8. 33 S.

362. **Erdmann,** Martinus [Tilsensis]. De Pseudolysiae epitaphii codicibus. Lipsiae, typis B. G. Teubneri, 1881. 8. 38 S.

363. **Fabricius,** Ernestus [Argentinensis]: De architectura graeca commentatio epigraphica prior. Berolini apud Weidmannos, 1881. 8. 44 S.

364. **Grosse,** Rudolf: Der Stil des Chrestien von Troies. Ein Beitrag zur Stilistik des altfranzösischen Kunstepos. (Separat-Abdruck aus den Französischen Studien herausgegeben von G. Körting und E. Koschwitz. Verlag von Gebr. Henninger in Heilbronn.) Altenburg, Pierer'sche Hofbuchdruckerei. Stephan Geibel & Co., 1881. 8. 31 S.

365. **Hammesfahr,** Alexander: Zur Comparation in Altfranzösischen. Strassburg, Karl J. Trübner, 1881. 8. IV, 40 S.

366. **Hannappel,** Matthias: Poetik Alain Chartiers. (Separat-Abdruck aus den Französischen Studien herausgegeben von G. Körting und E. Koschwitz. Verlag von Gebr. Henninger in Heilbronn.) Altenburg, Pierer'sche Hofbuchdruckerei. Stephan Geibel & Co., 1881. 8. 54 S.

367. **Hanssen,** Fridericus [Lvbecensis]: De arte metrica Commodiani. Argentorati apud Carolum I. Truebner, 1881. 8. 72 S.

368. **Hettner,** Alfred: Das Klina von Chile und Westpatagonien. Erster Teil. Luftdruck und Winde. Meeresströmungen. Bonn, Universitäts-Buchdruckerei von Carl Georgi, 1881. 8. 55 S. u. 1 Taf.

369. **Jordan,** Gustav [aus Danzig]: Ragewins Gesta Friderici imperatoris. Eine quellenkritische Untersuchung. Strassburg, Verlag von Karl J. Trübner. London Trübner & Comp., 1881. 8. IV, 89 S.

370. **Kap-Herr,** Haus von [stud. iur.]: Die abendländische Politik Kaiser Manuels nit besonderer Rücksicht auf Deutschland. Strassburg, Karl J. Trübner, 1881. 8. 157 + 1 S.

371. **Kellerhoff,** Edvardvs [Gvestphalvs]: De collocatione verborum Plavtina qvaestiones selectae. Argentorati 1881. (Lipsiae, typis Breitkopfii et Haertelii.) 8. 38 S.

372. **Koohendörffer,** Karl: Handschriftenverhältnis und Quelle der Kindheit Jesu von Konrad von Fussesbrunnen. (Sonderabdruck aus den Quellen und Forschungen zur Sprach- und Culturgeschichte der germanischen Völker, Heft XLIII.) Strassburg, Kari J. Trübner, 1881. 8. 41 S.

373. **Kohn,** Benno [nachher **Kerry**]: Untersuchungen über das Causalproblem auf den Boden einer Kritik der einschlägigen Lehren J. St. Mills. Wien, Druck und Verlag von Carl Gerold's Sohn, 1881. 8. IV, 127 S.

374. **Kossinna,** Gustaf: Über die ältesten hochfränkischen Sprachdenkmäler. Ein Beitrag zur Grannatik des Althochdeutschen. (Theilabdruck aus den Quellen und Forschungen zur Sprach- und Culturgeschichte der germanischen Völker, Heft XLVI.) Strassburg, Karl J. Trübner, 1881. 8. IV, 35 S.

375. **Look,** Heinrich van: Der Partonopier Konrads von Würzburg und der Partonopeus de 3lois. Goch, Völcker'sche Buchdruckerei (Joh. Gällweiler), 1881. 8. 43 S.

376. **Marx,** Gustav: Über die Wortstellung bei Joinville. I. Theil. Stellung einzelner Redetheile. (Separat-Abdruck aus den Französischen Studien, herausgegeben von G. Körting und E. Kochwitz. Verlag von Gebr. Henninger in Heilbronn.) Altenburg, Pierer'sche Hofbuchdruckerei. Stephan Geibel & Co., 1881. 8. 26 S.

377. **Pohl,** Augustinus [Sigmaringensis]: De oratione pro Polystrato Lysiaca. Argentorati apud Carolum Truebnerum, 1881. 8. 37 S.

378. **Preuss,** Richard [aus Tilsit]: Stilistische Forschungen über Gottfried von Strassburg. Strassburg, Karl J. Trübner, 1881. 8. 42 S.

379. **Rosenkränzer,** Nicolaus: Bischof Johann I. von Strassburg genannt von Dürbheim. Trier, Druck von Fr. Dasbach, 1881. 8. VII, 116 S.

380. **Schröder,** Edward: Das Anegenge. Eine litterarhistorische Untersuchung. (Sonderabdruck aus den Quellen und Forschungen zur Sprach- und Culturgeschichte der germanischen Völker, Heft XLIII [richtig XLIV]). Strassburg, Karl J. Trübner, 1881. 8. 55 S.

381. **Stamm,** Adolfvs [Nassoviensis]: Tres canones harmonici. Berolini apvd Weidmannos, 1881. 8. 30 S.

382. **Stoy,** Stephan: Die politischen Beziehungen zwischen Kaiser und Papst in den Jahren 1360—1364. Leipzig, Druck von Breitkopf & Härtel, 1881. 8. 88 S.

383. **Voss,** Georgivs [Sedinensis]: De versibvs anapaesticis Plavtinis. Lipsiae, typis B. G. Tevbneri, 1881. 4. 18 S.

384. **Warren,** Minton [of Providence, U. S. A.]: On the enclitic *ne* in early latin. (From the American Journal of Philology, vol. 2, No. 5.) Baltimore & Strassburg (ohne Angabe des Druckers), 1881. 8. 32 S.

385. **Wuest,** Georgius [Nassoviensis]: De clausula rhetorica quae praecepit Cicero quatenus in orationibus secutus sit. Argentorati apud Carolum I. Truebner, 1881. 8. 102 S.

1881.

Mathematisch-Naturwissenschaftliche Fakultät.

386. **Beckenkamp,** Jakob [aus Horchheim bei Coblenz]: Über die Ausdehnung monosymmetrischer und asynmetrischer Krystalle durch die Wärme. Leipzig, Wilhelm Engelmann, 1881. 8. 35 S.

387. **Beer,** Alexander [aus Berlin]: Die Zersetzungsproducte der Itamono- und Itabibrombrenzweinsäure. Berlin, Carl Koepsel's Buchdruckerei, 1881. 8. II, 34 S.

388. **Ebert,** Gustav [aus Hamburg]: Beiträge zur Kenntniss des Cumarins. Hamburg, J. H. Meyer's Buchdruckerei, 1881. 8. 39 S.

389. **Erdmann,** Ernst [aus Tilsit]: Ueber die Einwirkung von Schwefelsäure auf die Zimmtsäure in der Wärme. (J. H. Meyer's Buchdruckerei, Hamburg), (1881). 8. 39 S.

390. **Geisler,** Carl [aus Peterswaldau]: Beiträge zur Kenntniss der Brenzterebinsäure und einer neuen Säure der Teraconsäure. Strassburg, Universitäts-Buchdruckerei von Johann Heinrich Eduard Heitz, 1881. 8. 42 S.

391. **Henriques,** Robert [aus Hamburg]: Ueber neue Nitroderivate des Phenols. Hamburg, Druck von M. Rosenberg, 1881. 8. II, 25 S.

392. **Hepp,** Paul [aus Strassburg i. E.]: Über Trinitroderivate des Benzols und Toluols. Über Additionsproducte von Nitroderivaten mit Kohlenwasserstoffen. Strassburg, Universitäts-Buchdruckerei von J. H. Ed. Heitz, 1881. 8. 63 S.

393. **Konowalow,** Dinitri [aus Ekatharinoslaw in Russland]: Ueber die Dampfspannungen der Flüssigkeitsgemische. Mit einer Tafel. Leipzig, Druck von Metzger & Wittig, 1881. 8. 20 S.

394. **Muraoka,** Hanichi [aus Tottori in Japan]: Über das galvanische Verhalten der Kohle. Strassburg, Buchdruckerei von G. Fischbach, 1881. 8. 36 S.

395. **Strecker,** Karl [aus Mainz]: Ueber die specifische Wärme des Chlor-, des Brom- und des Jodgases. Leipzig, Druck von Metzger & Wittig, 1881. 8. 25 S.

1882.

Rechts- und Staatswissenschaftliche Fakultät.

396. **Araskhaniantz,** Awetis: Die französische Getreidehandelspolitik von 1484—1610. Leipzig, Duncker & Humblot, 1882. 8. 54 S.

397. **Kaerger,** Karl: Die Theorien über die Juristische Natur des Urheberrechts. Berlin, Puttkanner & Mühlbrecht, 1882. 8. 47 S.

398. **Mauve,** Carl: Die usucapio libertatis. Breslau, F. W. Jungfer's Buchdruckerei, 1882. 8. 28 S.

1882.

Medizinische Fakultät.

399. **Bonning,** Carl [aus Hofgeisnar, Hessen-Nassau]: Ueber die Wundbehandlung nit Naphtalin. Strassburg, Universitäts-Buchdruckerei von Johann Heinrich Eduard Heitz, 1882. 8. 103 S.

400. **Dresel,** Gustav [aux Sisterdale, Tex.]: Ueber Verletzungen des Auges durch stunpfe Gewalten. Strassburg, Universitäts-Buchdruckerei von J. H. Ed. Heitz. 1882. 8. 53 S.

401. **Ernst,** Eugen: Die geburtshülflichen Indicationen bei Gebärmutterkrebs. Strassburg, Buchdruckerei von R Schultz & Comp., 1882. 8. 80 S.

402. **Freund,** Hernann Wolfgang [aus Strassburg i. E.]: Die Beziehungen der Schilddrüse zu den weiblichen Geschlechtsorganen. Leipzig, Druck von J. B. Hirschfeld, 1882. 8. 42 S.

403. **Görtz,** Julits [aus Mainz]: Ueber Helleboreïn. Ein Versuch zun Ersatze der Digitalis. Mainz, Buchdruckerei von H. Prickarts, 1882. 8. 24 S.

404. **Hamburg,** Schmerko [Semaria]: Ueber die 1. (sog. Eröffnungs-) Periode der nenschlichen Geburt. 1. Capitel. Ueber die Grenzen des bei der Geburt der Eröffnung unterliegenden Uterinbezirkes (Area der Eröffnung resp. der Dehnung); nebst einer Einleitung. Strassburg, Universitäts-Buchdruckerei von J. H. Ed. Heitz, 1882. 8. 86 S.

405. **Körner,** Otto [aus Frankfurt a/M.]: Beiträge zur vergleichenden Anatonie und Physiologie des Kehlkopfes der Säugethiere und des Menschen. Mit einer Tafel. Frankfurt a. M., Mahlau & Waldschnidt, 1882. 4. 18 S.

406. **Marzolph**, Carl [aus Wollneshein bei Landau, Pfalz]: Zur Behandlung der malignen Lymphosarkome mit Arsenik. Strassburg, Universitäts-Buchdruckerei von J. H. Ed. Heitz, 1882. 8. 35 S.

407. **Mertz**, Albrecht [aus St. Johann a. d. Saar]: Beitrag zur Statistik der Tumoren an Ober-Schenkel. St. Johann a. d. Saar, Druck von Gustav Schaede, 1882. 8. 69 S.

408. **Nega**, Julius [Assistent der Klinik für Syphilis und Hautkrankheiten]: Ein Beitrag zur Frage der Elimination des Mercurs mit besonderer Berücksichtigung des Glycocollquecksilbers. Strassburg, Verlag von Karl J. Trübner, 1882. 8. 50 S.

409. **Osawa**, Kenge [aus Japan]: Untersuchungen über die Leitungsbahnen in Rückenmark des Hundes. Strassburg. Buchdruckerei von R. Schultz & Comp., 1882. 8. 101 S. u. 1. Taf.

410. **Sachs**, Barney [aus Newyork]: Über den Einfluss des Rückenmarks auf die Harnsecretion. Strassburg, Karl J. Trübner, 1882, 8. II, 46 S.

411. **Schröder**, Woldemar von [Dr. scient. natural.]: Über die Bildungsstätte des Harnstoffs. Leipzig, Druck von J. B. Hirschfeld, 1882. 8. 39 S.

412. **Vohsen**, Karl: Beiträge zur Kenntniss des Gelenkrheumatismus in Kindesalter. Leipzig, Druck von B. G. Teubner, 1882. 8. 24 S.

413. **Voigt**, Carl [pract. Arzt, bisher Assistent der Kinderklinik zu Strassburg i. Els.]: Ueber die Diphtheritis in der Strassburger Kinderklinik, ihre Beziehungen zu andern Infectionskrankheiten und zur Spitalhygiene. Leipzig, Druck von B. G. Teubner, 1882. 8. 31 S.

1882.
Philosophische Fakultät.

414. **Baldes**, Heinrich: Der Genetiv bei Verbis in Althochdeutschen. Strassburg, Karl J. Trübner, 1882. 8. IV, 69 S.

415. **Behrens**, Dietrich: Unorganische Lautvertretung innerhalb der formellen Entwickelung des französischen Verbalstammes. (Separat-Abdruck aus den Französischen Studien herausgegeben von G. Körting und E. Koschwitz.) Altenburg, Pierer'sche Hofbuchdruckerei. Stephan Geibel & Co., 1882. 8. 32 S.

416. **Cramer**, Adolfus [Saxo-Borussus]: De Manilii qui dicitur elocutione. Argentorati apud Carolum I. Truebner. 1882. 8. 89 S.

417. **Crohn**, Hermannus [Sedinensis]: De Trogi Pompei apud antiquos auctoritate. Argentorati apud Carolum I. Truebner, 1882. 8. 56 S.

418. **Flechtner**, Hermann: Die Sprache des Alexander-Fragnents des Alberich von Besançon. Breslau, Wilheln Koebner, 1882. 8. 78 S.

419. **Franz**, Friedrich: Die Chronica Pontificum Leodiensium. Eine verlorene Quellenschrift des XIII. Jahrhunderts. Nebst einer Probe der Wiederherstellung. Strassburg, Karl J. Trübner, 1882. 8. II, 63 S.

420. **Freymond**, Enile: Über den reichen Rein bei altfranzösischen Dichtern bis zun Anfang des XIV. Jahrh. Halle, a/S., Druck von E. Karras, 1882. 8. 36 S.

421. **Galland**, Carolus [Lotharingvs]: De Arcadii qvi fertvr libro de accentibvs. Argentorati apvd Carolvm I. Trvebner, 1882. 8. 55 S.

422. **Halbfass**, Wilhelm [aus Hamburg]: Die Berichte des Platon und Aristoteles über Protagoras nit besonderer Berücksichtigung seiner Erkenntnistheorie. Druck von B. G. Teubner in Leipzig, 1882. 8. 60 S.

423. **Hamburger**, Paul: Untersuchungen über Ulrich Fürtrers Dichtung von den Gral und der Tafelrinde. I. Zur Metrik und Grammatik. Stil und Darstellungsweise. Strassburg, Karl J. Trübner, 1882. 8. 44 S.

424. **Himmelstern**, Alex.: Eine angebliche und eine wirkliche Chronik von Orvieto. Strassburg, Karl J. Trübner, 1883. 8. 48 S.

425. **Kalkoff**, Paul: Wolfger von Passau 1191—1204. Eine Untersuchung über den historischen Werth seiner „Reiserechnungen" nebst einen Beitrag zur Waltherchronologie. Weimar, Hof-Buchdruckerei, 1882. 8. VIII, 149 S.

426. **Leupold**, Edward: Berthold von Buchegg, Bischof von Strassburg. Ein Beitrag zur Geschichte des Elsass und des Reichs in XIV. Jahrhundert. Strassburg, Karl J. Trübner, 1882. 8. IV, 179 S.

427. **Loeffler**, Franciscvs Josephvs [Hohenzolleranvs]: De Calphvrnio Terentii interprete. Argentorati apvd Carolvm I. Trvebner, 1882. 8. 70 S.

428. **Müllensiefen**, Paulus [Berolinensis]: De titulorum laconicorum dialecto. Argentorati apud Carolum I. Truebner, 1882. 8. 68 S.

429. **Orth**, Ferdinand: Ueber Reim und Strophenbau in der altfranzösischen Lyrik. Cassel, Verlag von Ernst Hühn, 1882. 8. 75 S.

430. **Oettingen**, Wolfgang von: Über Georg Greflinger von Regensburg, sein Leben und eine Uebersicht seiner Werke. Strassburg, Karl J. Trübner, 1882. 8. 36 S.

431. **Pagidas**, Georgios: Τὰ τῆς τοπογραφίας τῶν ἑπταπύλων Θηβῶν ὑπὸ τῶν νεωτέρων ἀρχαιολόγων διερευνώμενα. Ἐν Ἀθηναῖς ἐκ τοῦ τυπογαφείου τῆς ἑνωσέως, 1882. 8. 70 S. u. 1 Plan.

432. **Ploen**, Henricus [Megalopolitanus]: De copiae verborvm differentiis inter varia poesis ronanae antiquioris genera intercedentibvs. Argentorati apvd Carolvm I. Trvebner, 1882. 8. 56 S.

433. **Reimann**, Paul: Die Declination der Substantiva und Adjectiva in der Langue d'Oc bis zum Jahre 1300. Danzig (Druck von Edwin Groening), 1882. 8. IV, 82 S.

434. **Schroeder**, Fridericus [Sedinensis]: De iteratis apud tragicos Graecos. Argentorati apud Carolum I. Truebner, 1882. 8. 90 S.

435. **Schwemer**, Richard: Innocenz III. und die deutsche Kirche während des Thronstreites von 1198—1208. Strassburg, Karl J. Trübner, 1882. 8. VI, 156 S.

436. **Winckelmann**, Otto: Die Beziehungen Kaiser Karls IV. zum Königreich Arelat. Ein Beitrag zur Reichsgeschichte des 14. Jahrhunderts. Strassburg, Karl J. Trübner, 1882. 8. VIII, 153 S.

437. **Wüllner**, Ludwig: Die Lautlehre des Hrabanischen Glossars. Ein Beitrag zur Grannatik des Althochdeutschen. Berlin, Druck von W. Pormetter, 1882. 8. 47 S.

1882.

Mathematisch-Naturwissenschaftliche Fakultät.

438. **Büsgen**, M. [aus Weilburg]: Die Entwicklung der Phyco-mycetensporangien. (Separat-Abdruck aus Pringsheim's Jahr-büchern für wissenschaftl. Botanik, Bd. XIII, Heft 2.) Berlin, Druck von G. Bernstein, 1882. 8. 33 S. u. 1 Taf.

439. **Gottstein**, Leo [aus Breslau]: Ueber zwei neue Capro-lactone, ihre Darstellungsweise und Constitution. (Ohne Druck-ort, Drucker, resp. Verleger und Jahr.) (1882.) 8. 31 S.

440. **Jayne**, Harry W. [Philadelphia, Pa.]: On phenylbutyro-lactone and certain oxy-acids from the aromatic aldehydes. Wiesbaden, L. Schellenberg'sche Hof-Buchdruckerei, 1882. 8. 32 S.

441. **Kolbe**, Carl [aus Leipzig]: Ueber die Bromadditions-producte der Crotonsäuren und der Methacrylsäure. Leipzig, Druck von Metzger & Wittig, 1882. 8. 32 S.

442. **Pauls**, Otto [aus MontJoie]: Ueber die Beziehung des Riemann'schen Integrals zweiter Gattung zu den Periodicitäts-moduln der Function R (o|t). Strassburg, Buchdruckerei R. Schultz und Comp., 1882. 4. 30 S.

443. **Roeder**, Hans Albert [aus Lichtenberg]: Beitrag zur Kenntniss des Terrain à chailles und seiner Zweischaler in der Umgegend von Pfirt in Ober-Elsass. Strassburg, Druck von R. Schultz & Comp., 1882. 8. 110 S. u. 4 Taf.

444. **Schenck**, Ernst Albert [aus Tilsit]: Ueber die elliptische Polarisation des Lichts bei Reflexion an Krystalloberflächen. Leipzig, Druck von Metzger & Wittig, 1882. 8. 30 S. u. 1 Taf.

445. **Wolff**, Ludwig [aus Neustadt a. d. Haardt]: Ueber eine einfache Darstellungsweise und die Constitution des Valero-laetons und über das chemische Verhalten der δ-Oxycapron-säure. (J. H. Meyer's Buchdruckerei, Hamburg.) O. J. (1882.) 8. 41 S.

1883.

Rechts- und Staatswissenschaftliche Fakultät.

446. **Amiet,** Arnold: Der praktische Grund und die Juristische Begründung der Regel nemo pro parte testatvs, pro parte intestatvs decedere potest. (Gekrönte Preisschrift.) Solothurn, Druck von B. Schwendimann, 1883. 4. VIII, 80 S.

447. **Freund,** Friedrich: Die gesetzlichen Beschränkungen des Grundeigenthums in rönischen Recht. Berlin, Druck von Gebr. Unger (Th. Grinn), 1883. 8. 38 S.

448. **Günder,** Kari: Das Institut der laudatio auctoris in seinen Beziehungen zun gernanischen Eviktionsprocesse. Würzburg, Druck der Thein'schen Druckerei (Stürtz), 1883. 8. 103 S.

449. **Mayr,** Max [Rechtspraktikant]: Die Beihülfe in Strafrecht. Speier, L. Gilardone'sche Buchdruckerei, vornals Dl. Kranzbühler, 1883. 8. VI, 95 S.

1883.

Medizinische Fakultät.

450. **Cornelius,** August [aus Infeld in Oldenburg]: Zur Behandlung der acuten virulenten Bibonen. Strassburg, Universitäts-Buchdruckerei von Johann Heinrich Eduard Heitz, 1883. 8. 64 S.

451. **Faber,** Georg Nicolas: Zur Operation intraligamentärer Ovarialtumoren. Luxemburg, Buchhandlung von Nicolas Breisdorff, 1883. 8. 31 S.

452. **Gaertner,** Friedrich [aus Wiesbaden]: Multiple Atresieen und Stenosen des Darnrohrs bei einen neugeborenen Knaben. Druck von B. G. Teubner in Leipzig, 1883. 8. 26 S. u. 1 Taf.

453. **Gremse,** Rudolf [pract. Arzt aus Schernberg]: Über pneunonia erysipelatosa. Magdeburg, Druck von E. Baensch Jun., 1883. 8. 51 S. u. 1 Taf.

454. **Guttenplan,** Julius [pract. Arzt aus Offenbach a. M.]: Ein Fall von hämorrhagischem Sarcom des Uterus und der Vagina nit Metastasen in den Lingen. C. Forger's Druckerei in Offenbach a. M., 1883. 8. 22 S.

455. **Haeckel,** Heinrich [pract. Arzt aus Potsdam]: Ueber Affectionen der Pleura bei Erkrankungen der weiblichen Sexualorgane. Wien, Druck und Verlag von Ludwig Schönberger, 1883. 8. 22 S.

456. **Hoffmann,** Hernann [pract. Arzt aus Leer, Hannover, z. Z. Assistent der medicinischen Klinik zu Strassburg]: Stereognostische Versuche, angestellt zur Ernittlung der Elenente des Gefühlssinnes, aus denen die Vorstellungen der Körper in Raune gebildet werden. Konstanz, Druck von Friedr. Stadler, 1883. 8. 152 S.

457. **Jaeger-Luroth,** J. [I. Assistent an anatom. Institut zu Strassburg]: Die regio thyreoidea nit besonderer Berücksichtigung der Blutgefässe. Strassburg, Buchdruckerei von R. Schultz & Comp., 1883. 8. 66 S. u. 2 Taf.

458. **Kestner,** Georg [pract. Arzt aus Mülhatsen]: Casuistischer Beitrag zu den Hirntunoren in Kindesalter. Druck von B. G. Teubner in Leipzig, 1883. 8. 24 S.

459. **Kreiss,** Theodor [appr. Arzt aus Strassburg i. E.]: Studien über Kopfverletzungen. Strassburg, Universitäts-Buchdruckerei von Johann Heinrich Eduard Heitz, 1883. 8. 46 S.

460. **Kriworotow,** Woldemar [aus Jeletz in Russland]: Über die Functionen des Stirnlappens des Grosshirns. Strassburg, Buchdruckerei von H. L. Kayser, 1883. 8. 36 S.

461. **Kronecker,** Franz [cand. med.]: Über die Hippursäurebildung bein Menschen in Krankheiten. (Arbeiten aus den Laboratoriun für experinentelle Pharmakologie zu Strassbirg.) Leipzig, Druck von J. B. Hirschfeld, 1883. 8. 19 S.

462. **Liebeschütz,** Julius [aus Menel, pract. Arzt]: Die locale Verbreitung der Trophoneurosen. Strassburg, Druck von Ed. Hubert & E. Haberer, 1883. 8. 31 S. u. 2 Taf.

463.   **Mayer,** Carl [pract. Arzt]: Ueber Jodinjectionen bei Prostatakrankheiten. Strassburg, Druck von Ed. Hubert & E. Haberer, 1883. 8. 31 S. u. 1 Taf.

464.   **Meller,** Josef [approb. Arzt als Osterath bei Crefeld]: Beitrag zur Lehre vom scleroderna adultorum. Crefeld, Druck von Gustav Kühler, 1883. 8. 36 S.

465.   **Oehler,** Rudolf [approb. Arzt]: Schwund grösserer Theile des Knochens nach Fracturen. Strassburg, Universitäts-Buchdruckerei von Johann Eduard Heitz, 1883. 8. 25 S.

466.   **Rockwitz,** Carl [aus Kassel]: Ueber die Therapie hoher Grade von Kinderlähmung. Leipzig, Druck von J. B. Hirschfeld, 1883. 8. 45 S.

467.   **Rosenkranz,** Rudolf [cand. med]: Zwei interessante Fälle von angeborener Schädelanomalie. Cassel, Buchdruckerei von Friedr. Scheel, 1883. 8. 24 S. u. 2 Taf.

468.   **Stigell,** Hermann [aus Mainz, pract. Arzt]: Ueber Blendung der Netzhaut. Strassburg, Druck von Ed. Hubert & E. Haberer, 1883. 8. 40 S.

469.   **Wieger,** Germain [aus Strassburg i/E.]: Ueber den Canalis Petiti und sein „ligamentum hyaloideo-capsulare“. Strassburg, Universitäts-Buchdruckerei von Johann Heinrich Eduard Heitz, 1883. 8. 37 S.

470.   **Wirtz,** J. [aus Freilingen, R.-B. Trier]: Über lepraähnliche Syphilis. Strassburg, Buchdruckerei von R. Schultz & Comp., 1883. 8. 24 S. u. 2 Taf.

471.   **Wortmann,** Johannes [prakt. Arzt als Lünen in Westfalen]: Beitrag zur Meningitis tuberculosa und der Gehirntuberbulose im Kindesalter. Druck von B. G. Teubner in Leipzig, 1883. 8. 43 S.

1883.

Philosophische Fakultät.

472.   **Bernays,** Isaac: Zur Kritik Karolingischer Annalen. Strassburg, Karl J. Trübner, 1883. 8. VIII, 194 S.

473. **Crueger,** Johannes: Der Entdecker der Nibelungen. (Teil-druck einer grösseren bei der Universität Strassburg als Disser-tation eingereichten Abhandlung). Frankfurt a/M., Literarische Anstalt Rütten & Löning, 1883. 8. II, 47 S.

474. **Doermer,** Guilelmus [Saraepontanus]: De Graecorum sacrificulis qui IEΡΟΠΟΙΟΙ dicuntur. Argentorati apud Carolum I. Truebner, 1883. 8. 74 S.

475. **Franz,** Wilhelm: Die lateinisch-romanischen Elemente im Althochdeutschen. Strassburg, Karl J. Trübner, 1883. 8. IV, 79 S.

476. **Fricke,** Richard [aus Hasslinghausen i. Westf.]: Die Robin-Hood-Balladen. Ein Beitrag zum Studium der englischen Volks-dichtung. Braunschweig, Druck von George Westernann, 1883. 8. 104 S.

477. **Graef,** Harald: Handschriftliche Ueberlieferung, Heimath und Entstehungszeit des mittelhochdeutschen Gedichtes Eraclius. Strassburg, Karl J. Trübner, 1883. 8. 45 S.

478. **Hoffmannus,** Otto Adalb. [Saxo-Borussus]: De imperatoris Titi temporibus recte definiendis. Marpurgi, aedibus N. G. Elwerti, 1883. 8. IV, 34 S.

479. **Lefèvre,** Paul: Das altenglische Gedicht von Hl. Gûthlâc, Halle a/S., Druck von E. Karras, 1883. 8. 40 S.

480. **Priese,** Oscar: Die Sprache der Gesetze Aelfreds des Grossen und König Ines. Strassburg, Universitäts-Buchdruckerei von Johann Heinrich Eduard Heitz, 1883. 8. 55 S.

481. **Ruete,** Edmund: Die Correspondenz Ciceros in den Jahren 44 und 43. Marburg, N. G. Elwert'sche Verlags-Buchhandlung, 1883. 8 IV, 122 S.

482. **Scherer,** Petrvs [Rhenanvs]: De particvlae qvando apvd vetvstissimos scriptores latinos vi et vsv. (Typis cxpresservnt Breitkopf et Haertel Lipsienses.) Argentorati 1883. 8. 48 S.

483. **Wolfram,** Georg: Friedrich I. und das Wormser Con-cordat. Marburg, N. G. Elwert'sche Verlags-Buchhandlung, 1883. 8. VIII, 176 S.

1883.

Mathematisch-Naturwissenschaftliche Fakultät.

484. **Andreae**, A.: Beitrag zur Kenntniss des elsässer Tertiärs. Die älteren Tertiärschichten in Elsass. Strassburg, Druck von R. Schultz & Cie. (Berger-Leviault's Nachfolger), 1883. 8. IV, 92 S. u. 3 Taf.

485. **Chanlaroff**, Mœhsin Beg [aus Baku]: Ueber das Butyrolacton und α-Aethylbutyrolacton. Strassburg, Universitäts-Buchdruckerei von Johann Heinrich Eduard Heitz, 1883. 8. 41 S.

486. **Doerr**, Victor [aus Kirchheinbolanden]: Beitrag zur Lehre von identischen Verschwinden der Riemannschen Tbeta-Function. Strassburg, Buchdruckerei von R. Schultz und Comp., 1883. 4. 25 S.

487. **Erdmann**, Hugo [aus Tilsit]: Condensationen und Metamorphosen der Phenylcrotonsäuren. Strassburg, Universitäts-Buchdruckerei von Johann Heinrich Eduard Heitz, 1883. 8. 38 S.

488. **Fischer**, Eduard [aus Bern]: Beitrag zur Kenntniss der Gattung Graphiola. (Separat-Abdruck aus der Botanischen Zeitung 1883, Nr. 45—48.) (Leipzig, Druck von Breitkopf & Härtel), 1883. 4. 24 S. u. 1 Taf.

489. **Hallwachs**, Wilhelm [aus Darnstadt]: Ueber die elektromotorische Kraft, den Widerstand und den Nutzeffekt von Ladungssäulen (Accumulatoren). Berlin, gedruckt in der Reichsdruckerei, 1883. 8. 30 S.

490. **Jolles**, Stanislaus (aus Berlin): Die Raumcurve IV. Ordnung II. Species synthetisch behandelt. Dresden, Buchdruckerei von Carl Engelnann 1883. 4. IV, 19 S.

491. **Isenbeck**, August [aus Wiesbaden]: Untersuchungen über die Induction in Pacinotti-Granime'schen Ring. Mit 14 Holzschnitten. Berlin, gedruckt in der Reichsdruckerei, 1883. 8. 38 S.

492. **Meyer**, Arthur [aus Sondershausen]: Ueber den Bau und die Bestandtheile der Chlorophyllkörner der Angiospermen. (Separatabdruck des zweiten Abschnittes der bei Arthur Felix in Leipzig erschienenen Abhandlung des Verfassers: Das „Chlorophyllkorn in chenischer, norphologischer und biologischer Beziehung.") 1883. 4. 23 S. u. 1 Taf.

493. **Roeder,** Friedrich [aus Mannhein]: Synthese einer neuen mit der Itaconsäure isoneren Säure. Heidelberg, Carl Winter's Universitätsbuchhandlung, 1883. 8. 24 S.

494. **Rühlmann,** Moritz [aus Nordhausen]: Ueber das Verhalten des Valerolaktons gegen einige Reagentien. Strassburg, Druck von M. DuMont-Schauberg, 1883. 8. 35 S.

495. **Schmidt,** Alexander [aus Szegedin]: Über das Fuess'sche Fühlhebelgoniometer. Leipzig, Wilheln Engelnann, 1883. 8. 26 S.

496. **Slocum,** Frank L. [of Fort Atkinson, Wis. U. S. A.]: On phenyl-β-acethyllactic acid and the preparation of phenyl-crotonic and phenylangelic acids. Strassburg, Karl J. Trübner, 1883. 8. 22 S.

497. **Stenger,** Franz [aus Erfurt]: Ueber das Verhalten des Kalkspaths im honogenen magnetischen Felde. Leipzig, Druck von Metzger & Wittig, 1883. 8. 25 S. u. 1 Taf.

498. **Trinius,** Paul [aus Stralsund]: Über einige Derivate der Hydratropasäure. Wiesbaden, L. Schellenberg'sche Hof-Buch-druckerei, 1883. 8. 35 S.

499. **Warburg,** Otto [aus Hanburg]: Über Bau und Entwicklung des Holzes von Caulotretus heterophyllus. (Druck von Breitkopf & Härtel in Leipzig.) 1883. 4. 35 S. u. 1 Taf.

500. **Woringer,** Leo [aus Strassburg]: Ueber neue Derivate der Camphansäure. Strassburg, Universitäts-Buchdruckerei von Johann Heinrich Eduard Heitz, 1883. 8. 31 S.

501. **Zalewski,** Alexander [aus Plock]: Ueber Sporen-abschnürung & Sporenabfallen bei den Pilzen. Regensburg, Neubauer'sche Buchdruckerei (F. Huber), 1883. 8. 28 8.

˙1884.

Rechts- und Staatswissenschaftliche Fakultät.

502. **Meyer,** Lucian [aus Fegersheim, U.-Els.]: Der Einspruch wider die Ehe nach französischen Recht (Opposition au nariage). Strassburg, Druck von Ed. Hubert & E. Haberer, 1884. 8. 40 S.

503. **Rettich,** Heinrich [Dr. der Philosophie, Kgl. Württb. Finanzreferendar I. Klasse aus Signaringen]: Die völker- und staatsrechtlichen Verhältnisse des Bodensees historisch und juristisch untersucht. Tübingen, Verlag der H. Laupp'schen Buchhandlung, 1884. 8. X, 191 S.

504. **Wartanian,** Grégoire [aus Tiflis, Russland]: Geschichte des landschaftlichen Kreditsystens für die Provinz Schlesien bis zun Jahre 1870. Strassburg, Buchdruckerei R. Schultz & Comp., 1884. 8. 112 S.

1884.

Medizinische Fakultät.

505. **Bergkammer,** Friedrich [pract. Arzt aus Essen a/R.]: Beiträge zur Lehre von der Entzündung und Entartung der quergestreiften Muskelfasern. Strassburg, Druck von H. L. Kayser, 1884. 8. II, 32 S.

506. **Bickel,** Gustav [pract. Arzt aus Wiesbaden]: Ueber die Ausdehnung und den Zusannenhang des lymphatischen Gewebes in der Rachengegend. Berlin, 1884. (Separatabdruck aus Virchow's Archiv, 97. Band, 1884. Druck und Verlag von Georg Reimer in Berlin.) 8. 24 S.

507. **Cahn,** Joseph [aus Worms]: Ueber die Resorptions- und Ausscheidungsverhältnisse des Mangans in Organismus. (Aus den Laboratoriun für experinentelle Pharnakologie zu Strassburg.) Leipzig, Druck von J. B. Hirschfeld, 1884. 8. 18 S.

508. **Garcin,** Adolphe [de Bischwiller, Bas-Rhin, ex-médecin interne des hospices civils]: Contribution clinique à l'étude de la Cystotonie sus-pubienne avec statistique conprenant les années 1879—1883. Strasbourg, inprinerie de R. Schultz & Comp., 1884. 8. 99 S.

509. **Haacke,** Ernst [prakt. Arzt aus Burg, Reg.-Bez. Magdeburg]: Versuch einer geschichtlichen Darstellung der Lehre von der normalen Lage der gesunden, nicht schwangern Gebärnutter. Burg, Druck von August Hopfer. 1884. 8. 43 S.

510. **Hoffmann,** Arthur [prakt. Arzt aus Goldberg i. Schi.] :
Über Beziehungen der Refraction zu den Muskelverhältnissen
des Auges, auf Grund einer an den Augen der Schüler des
Strassburger Lyceuns ausgeführten Untersuchung. Strassburg,
Buchdruckerei von R. Schultz u. Comp., 1884. 8. 71 S.

511. **Knittel,** Michel [approb. Arzt aus Geudertheim i/Elsass]:
Ueber sporadische psychische Ansteckung. Strassburg, Univ.-
Buchdruckerei von Johann Heinrich Eduard Heitz, 1884. 8. 35 S.

512. **Lauer,** A. [aus Neidenstein i. Baden]: Ueber locale
Asphyxie und synnetrische Gangrän der Extrenitäten mit
zwei neuen Beobachtungen. Strassburg, Buchdruckerei von
R. Schultz u. Comp., 1884. 8. 46 S.

513. **Lindner,** August (pract. Arzt aus Kassel): Die therapeutische Anwendung des Paraldehyds. (Druck von Weber &
Weidemeyer in Kassel) (1884). 8. 26 S.

514. **Loeb,** Jacques: Die Sehstörungen nach Verletzung der
Grosshirnrinde. Nach Versuchen am Hunde. (Separat-Abdruck
aus Pflügers Archiv f. d. ges. Physiologie, Bd. XXXIV.)
Strassburg, 1884. 8. 108 S.

515. **Lubarsch,** Otto [aus Berlin]: Welche Berücksichtigung
verlangen die Verdauungs- und Harnorgane Laparotomirter
in der Nachbehandlung? Strassburg, Verlag von Karl J. Trübner,
1884. 8. 56 S. u. 7 Taf.

516. **Maki,** Rioschiro [aus Japan]: Über den·Einfluss des
Camphers, Coffeins & Alkohols auf das Herz. Strassburg,
Buchdruckerei von R. Schultz & Comp., 1884. 8. 59 S.

517. **Maren,** Enil: Beiträge zur Lehre von der Augen-
Tuberkulose. Berlin (Druck von Rudolf Mosse), 1884. 8. 50 S.

518. **Mounstein,** A. [aus Russland]: Über die spontane
Gangraen und Infarcte. Strassburg, Verlag von Karl J. Trübner,
1884. 8. 43 S. u. 1 Taf.

519. **Müller,** Julius [appr. Arzt aus Strassburg i. E.]: Ueber
die Diagnose der Extrauterinschwangerschaft. Strassburg, Druck
von Ed. Hubert & E. Haberer, 1884. 8. 120 S.

520. **Schott,** Alphons [aus Wanzenau]: Über eine bisher wenig beschriebene Forn von Gaumengeschwüren die bei Typhus abdoninalis vorkommen. Strassburg, Buchdruckerei von R. Schultz & Comp., 1884. 8. 22 S.

521. **Schüler,** O. [pract. Arzt]: Die Topographie des interstitiellen Bindegewebes in weiblichen Becken. Strassburg, Druck von Christian Wurst, 1884. 8. 37 S.

522. **Tahintzis,** C. Th. [aus Constantinopel]: Ein Fall von Prolapsus vaginae bei einer Jingfrau. Strassburg, Verlag von Karl J. Trübner, 1884. 8. 32 S.

523. **Weber,** Ernest [de Rittershoffen, Alsace]: De i'incision transversale du voile du palais conne opération préliminaire pour l'extirpation des polypes naso-pharyngiens. Strasbourg, inprinerie de R. Schultz & Comp., 1884. 8. 50 S.

1884.

Philosophische Fakultät.

524. **Abraham,** Guilelmvs [Marchicvs]: Stvdia Plavtina. Lipsiæ, typis B. G. Tevbneri, 1884. 8. (IV, 26 S.)

525. **Bartels,** Enno [Frisivs]: De Terentii nenoria apvd Nonivm servata. Argentorati apvd Carolvm I. Trvbner, 1884. 8. 50 S.

526. **Bergengrün,** Alexander: Die politischen Beziehungen Deutschlands zu Frankreich während der Regierung Adolfs von Nassat. Strassburg, Karl J. Trübner. London, Trübner & Comp., 1884. 8. IV, 113 S.

527. **Brünnow,** Rudolf Ernst [cand. phil.]: Die Charidschiten unter den ersten Omayyaden. Ein Beitrag zur Geschichte des ersten islanitischen Jahrhunderts. Leiden, E. J. Brill, 1884. 8. XII, 110 S.

528. **Ellenbeck,** Johannes: Die Vorton-Vocale in französischen Texten bis zun Ende des XII. Jahrhunderts. Bonn, Universitäts-Buchdruckerei von Carl Georgi, 1834. 8. 54 S.

529. **Grvpe,** Edvardvs [Gottingensis]: De Ivstiniani Institvtionvm compositione. Argentorati apvd Carolvm I. Trvebner, 1884. 8. 45 S.

530. **Judeioh,** Walther: Caesar in Orient. Kritische Übersicht der Ereignisse von 9. August 48 bis October 47. Leipzig, Druck von F. A. Brockhaus, 1884. 8. 50 S.

531. **Keller,** Adolf: Die Sprache des Venezianer Roland V4. Calw, Buchdruckerei von A. Oelschläger, 1884. 8. 101 S.

532. **Luthmer,** Iohannes [Hannoveranus]: Da choriambo et ionico a ninore diiambi loco positis. Argentorati apud Carolum I. Truebner, 1884. 8. 99 S.

533. **Maroks,** Erich [aus Magdeburg]: Die Überlieferung des Bundesgenossenkrieges 91—89 v. Chr. Marburg, N. G. Elwert'sche Verlagsbuchhandlung, 1884. 8. VIII, 92 S.

534. **Reokling,** M.: Göthe's Iphigenie auf Tauris nach den vier überlieferten Fassungen. Colmar, Buchdruckerei von Wittwe Camille Decker, 1884. 4. 32 S.

535. **Roetteken,** Hubert: Die hypothetischen und relativen Satzverbindungen bei Berthold von Regensburg. (Separat-Abdruck aus den Quellen und Forschungen zur Sprach- und Culturgeschichte der germanischen Völker. Heft 53, S. I—LXIV. Strassburg, Karl J. Trübner, 1884. 8. 64 S.

536. **Scholle,** Wilhelm: Laurence Minots Lieder. Grammatisch-metrische Einleitung. (Separat-Abdruck aus den Quellen und Forschungen zur Sprach- und Culturgeschichte der germanischen Völker. Heft 52, S. VII—XLVII.) Strassburg, Karl J. Trübner, 1884. 8. 41 S.

537. **Schubert,** Hans von: Die Unterwerfung der Alamannen unter die Franken. Strassburg, Karl J. Trübner, 1884. 8. VI, 222 S.

1884.

Mathematisch-Naturwissenschaftliche Fakultät.

538. **Arons,** Leo: Bestimmung der Verdet'schen Constante in absoluten Maass. Leipzig, Druck von Metzger & Wittig, 1884. 8. 26 S. u. 1 Taf.

539. **Frost,** Bruno [aus Posen]: Die Constitution der Terebinsäure. Strassburg, Druck von M. Dumont-Schauberg 1884. 8. 31 S.

540. **Hochstetter**, Heinrich [aus Mannheim]: Ueber die Me-
lilotsäure und das Melilotsäure-Anhydrid. Strassburg, Karl J.
Trübner, 1884. 8. 24 S.

541. **Koch**, Alfred [aus Erfurt]: Über den Verlauf und die
Endigungen der Siebröhren in den Blättern. Mit einer lithographirten Tafel. (Druck von Breitkopf & Härtel in Leipzig),
1884. 4. 13 S.

542. **Kügler**, Karl [aus Gertweiler, Unter-Elsass]: Ueber das
Suberin. Ein Beitrag zur botanischen, pharmacognostischen und
chenischen Kenntniss des Korkes von Quercus Suber. Halle
a. S., Druck der Buchdruckerei des Waisenhauses, 1884. 8.
VI, 47 S.

543. **Linok**, G.: Geognostisch-petrographische Beschreibung des
Grauwackengebietes von Weiler bei Weissenburg. Strassburg,
Druck von R. Schultz & Comp. (Berger-Levrault's Nachfolger),
1884. 8. VI, 71 S. u. 2 Taf.

544. **Liweh**, Theodor [aus Gleschendorf in Fürstenth. Lübeck]:
Anglesit, Cerussit und Linarit von der Grube „Hausbaden“
bei Badenweiler. (Separatabdruck aus der Zeitschrift für
Krystallographie und Mineralogie IX. 5 u. 6.) Leipzig, Wilheln Engelnann, 1884. 8. 28 S. u. 2 Taf.

545. **Meyer**, Theodor [aus Unnau]: Ueber die Kegel des
Pappus und des Hachette. Berlin, Druck und Verlag von
W. & S. Loewenthal, 1884. 8. 27 S.

546. **Möller**, Wilhelm [aus Rendsburg]: Photonetrische Untersuchungen. Berlin, gedruckt in der Reichsdruckerei, 1884. 8.
58 S.

547. **Morris**, L. I. [of Emporia, Kansas]: Action of the halogen
acids and ammonia on lactones. Philadelphia, Merrihew Print
(J. Spencer Smitt), 1884. 8. 20 S.

548. **Oltmanns**, Friedrich [aus Oberndorf]: Ueber die Wasser-
bewegung in der Moospflanze und ihren Einfluss auf die
Wasservertheilung in Boden. Mit zwei lithographirten Tafeln.
Breslau, Druck von Robert Nischkowsky, 1884. 8. 49 S
u. 2 Taf.

549. **Ott,** Philipp [aus Biebrich a. Rh.]: Über die Phenyloxy-
pivalinsäure und einige Derivate derselben. Wiesbaden,
L. Schellenberg'sche Hof-Buchdruckerei, 1884. 8. 29 S.

550. **Schneegans,** C. F. August [aus Strassburg]: Die Reak-
tion von Perkin in der Fettreihe. Strassburg, Universitäts-
Buchdruckerei von J. H. Ed. Heitz, 1884. 8. 38 S.

551. **Weinstein,** Ludwig [aus Hanburg]: Ueber α- und β-
Hydropiperinsäure. Hanburg, Druck von H. A. Kümpel
(1884). 8. 34 S.

f. Habilitationsschriften.

[Nach den Habilitations-Vorschriften der einzelnen Fakultäten
sind die Bewerber un die venia legendi nicht verpflichtet, die
für diesen Zweck vorgelegten Arbeiten durch Druck zu ver-
öffentlichen.]

g. Gelegenheits- und vermischte Schriften.

552. Zur **Geschichte** der Universität Strassburg. Festschrift
zur Eröffnung der Universität Strassburg an 1. Mai 1872 von
Dr. August Schricker, Senats-Secretär. Strassburg, C. F.
Schmidt's Universitäts-Buchhandlung, Friedrich Bull, 1872.
68 S. u. 1 Taf.

553. Die **Einweihung** der Strassburger Universität an 1. Mai
1872. Officieller Festbericht. Strassburg, C. F. Schnidt's
Universitäts-Buchhandlung, Friedrich Bull, 1872. 8. 135 S.

554. Q. F. F. Q. S. Viro sun ne venerando **Joanni Friderico
Bruch** Theologiae doctori eiusdemque professori Universitatis
Argentoratensis renatae **Primo Rectori** die n natalem octoge-
sima vice pie laete feliciter celebrandum d. XIII decembris a.
MDCCCLXXII gratulantur deditissimi onniun ordinum col-
legae. Insunt epistolae quaedan Joannis Sturmii et Hispa-
norun qui Argentorati degerunt [ed. Eduardus Boehmer].
Argentorati, typis expressit J. H. Ed. Heitz, Universitatis
typographus, 1872. 4. VI u. 34 S.

555.   Die **Einweihung** der Neubauten der Kaiser-Wilhelns-Universität Strassburg 26—28. October 1884. **Offioieller Festberioht.** Strassburg, Universitäts-Buchdruckerei von J. H. Ed. Heitz, 1884. 8. 68 S.

556.   **Festsohrift** zur Einweihung der Neubauten der Kaiser-Wilhelms-Universität Strassburg 1884. [Strassburg, Universitäts-Buchdruckerei von J. H. Ed. Heitz.] 1884. 4. 8 u. 150 S.

Verzeichniss der Verfasser.

Abraham, Guilelmus. Nr. 524.
Alberti, Rudolf. Nr. 129.
Amiet, Arnold. Nr. 446.
Amos, Eugène. Nr. 63.
Andreae, A. Nr. 484.
Aepli, Theodor. Nr. 182.
Araskhaniantz, Awetis. Nr. 396.
Arning, E. Nr. 277.
Arons, Leo. Nr. 538.
Asch, Julius Nr. 278.

Baldes, Heinrich. Nr. 414.
Baltzer, Martin. Nr. 163.
Baragiola, Aristide. Nr. 115.
Bartels, Enno. Nr. 525.
Bary, Anton Heinrich de. Nr. VI.
Bastelberger, Maximilian Joseph. Nr. 229.
Bayer, Heinrich. Nr. 230.
Beckenkamp, Jakob. Nr. 386.
Beer, Alexander. Nr. 387.
Behrens, Dietrich. Nr. 415.
Behrens, Wilh. Nr. 231.
Beneke, Fridericus. Nr. 302.
Bergengrün, Alexander. Nr. 526.
Bergkammer, Friedrich. Nr. 505.
Bernays, Isaac. Nr. 472.
Bernheim, Ernst. Nr.
Bickel, Gustav. Nr. 506.
Bimmermaun, E.   Nr. 183.
Binder, F. Nr. 172.
Boehmer, Eduardus. Nr. 554.
Bock, Ludwig. Nr. 200.
Bonning, Carl. Nr. 399.
Boor, Albert de. Nr. 201.
Bredt, Julius. Nr. 328.
Bricon, Paul. Nr. 97.

Brieger, Ludwig. Nr. 39.
Brünnow, Rudolf Ernst. Nr. 527.
Bünger, Carolus. Nr. 253.
Bünger, Georgius. Nr. 302.
Büsgen, M. Nr. 438.

Cahn, Arnold. Nr. 345.
Cahn, Joseph. Nr. 507.
Cahn, Michael. Nr.
Chanlaroff, Mœhsin Beg. Nr. 485.
Chenevière, Edouard. Nr.
Cohen, Gustav. Nr. 98.
Cohn, Emil. Nr. 219.
Constantinides, Georgius. Nr. 203.
Cornelius, August Nr. 450.
Cramer, Adolius. Nr. 416.
Crohn, Hermannus. Nr. 417.
Crüger, Johannes. Nr. 473.

Dadelsen, Hans von. Nr. 204.
Dahlet, J. Nr.
Daiker, Otto. Nr. 257.
Deipser, Bernhardus. Nr. 361.
Demetriades, Constantinus. Nr. 184.
Dessau, Hermannus Nr. 164.
Dietz, Emil. Nr. 346.
Disqué, Ludwig. Nr. 185.
Döderlein, Ludwig. Nr. 173.
Dœrmer, Guilelmus. Nr. 474.
Dœrr, Victor. Nr. 486.
Dresel, Gustav. Nr. 400.
Dupré, Adolf. Nr.

Ebert, Gustav. Nr. 388.
Ediiger, Ludwig. Nr. 99.
Egenolff, Petrus. Nr. 116.
Eheberg, Karl Theodor. Nr. 228.

Elkin, William L. Nr. 329.
Ellenbeck, Johannes. Nr. 528.
Engelhorn, Fr. Nr. 266.
Eninger, Philipp. Nr. 279.
Erdmann, Ernst. Nr. 389.
Erdmann, Hugo. Nr. 487.
Erdmann, Martinus. Nr. 362.
Ernst, Eugen. Nr. 401.
Ewald, Jul. Rich. Nr. 280.
Eyles, Peter Martin. Nr. 139.

Faber, Georg Nicolas. Nr. 451.
Fabricius, Ernestus. Nr. 363.
Fahrenbruch, Friedrich. Nr. 3o3.
Fallot, T. Nr. 2.
Farnam, Henry W. Nr. 180.
Farwick, Heinrich. Nr. 347.
Faust, Adolf. Nr. 165.
Fischer, Eduard. Nr. 488.
Fischer, Emil. Nr. 54.
Fischer, Fritz. Nr. 232.
Fischer, Otto. Nr. 55.
Flechtner, Hermann. Nr. 418.
Flocken, Louis. Nr. 140.
Flournoy, Théodore. Nr. 186.
Fock, Andreas. Nr. 33o.
Focke, Friedrich. Nr. 141.
Foth, Karl. Nr. 117.
Franck, Johannes. Nr. 118.
Frank, August. Nr. 64.
Frank, Eduard. Nr. 281.
Frank, Gustav, Nr. 142.
Fraenkel, Siegmund. Nr. 2o5.
Franz, Friedrich. Nr. 419.
Franz, Wilhelm. Nr. 475.
Fresenius, Theodor Wilhelm. Nr. 220.
Freund, Friedrich. Nr. 447.
Freund, Hermann Wolfgang. Nr. 402.
Frey, Albert. Nr. 282.
Frey, Hermann. Nr. 143.
Freyhold, Edmund von. Nr. 92.
Freymond, Emile. Nr. 420.
Fricke, Richard. Nr. 476.
Friedländer, Ernst. Nr. 100.
Frost, Bruno. Nr. 539.
Fuchs, Friedrich. Nr. 13o.

Gallaud, Carolus. Nr. 421.
Garcin, Adolphe. Nr. 5o8.
Gartenauer, Heinrich Maria. Nr. 93.
Gaertner, Friedrich. Nr. 452.
Gassner, Carl. Nr. 187.
Gast, Alfred. Nr. 233.
Gastfreund, J. Nr. 81.
Gebhard, Ferdinand. Nr. 221.
Geisler, Carl. Nr. 39o.
Geoghegan, Edward George. Nr. 234.
Georgi, Wilhelm. Nr. 144.
Glan, Heico von. Nr. 235.
Gneisse, Carolus. Nr. 206.

Goebel, Karl. Nr. 174.
Goldschmidt, H. Nr. 145.
Goldschmit, Robert. Nr. 26.
Görtz, Julius. Nr. 4o3.
Gottstein, Leo. Nr. 439.
Goetz, Carl. Nr. 348.
Grabowski, Julijan. Nr. 56.
Graef, Harald. Nr. 477.
Graff, Ludwig. Nr. 27.
Gremse, Rudolf. Nr. 453.
Groebedinkel, Paul. Nr. 3o4.
Grober, Oswald. Nr. 28.
Grosse, Rudolf. Nr. 3o4.
Groth, Adolfus. Nr. 3o5.
Gruenling, Fr. Nr. 267.
Gripe, Eduardus. Nr. 529.
Guerrier, R. Ch. Nr. 3.
Guider, Karl. Nr. 448.
Gutsch, Ludwig. Nr. 188.
Guttenplan, Julius. Nr. 454.

Haacke, Ernst. Nr. 5o9.
Haeckel, Heinrich. Nr. 455.
Hadra, S. Nr. 236.
Häfelin, François. Nr. 119.
Hahn, J. F. E. Nr. 34.
Halbfass, Wilhelm. Nr. 422.
Hallwachs, Wilhelm. Nr. 489.
Hamburg, Schmerko (Semaria). Nr. 404.
Hamburger, Paul. Nr. 423.
Hammesfahr, Alexander. Nr. 365.
Hannappel, Matthias. Nr. 366.
Haussen, Fridericus. Nr. 367.
Happach, Karl. Nr. 237.
Harkawy, Alexander. Nr. 146.
Harseim, Friedrich. Nr. 258.
Hirt, Gustavus. Nr. 3o6.
Hartmann, Charles. Nr. 283.
Hartwig, Ernst. Nr. 331.
Heidenheimer, Heinrich. Nr. 207.
Heilbut, Louis. Nr. 29.
Heiligbrodt, Robert. Nr. 208.
Heinzelmann, Robert. Nr. 131.
Heitz, Emil. Nr. XX.
Hellwig, Conrad. Nr. 181.
Helmstedter, Félix. Nr. 19.
Henning, Rudolf. Nr. 57.
Henriques, Robert. Nr. 391.
Hepp, Eduard. Nr. 82.
Hepp, Paul Nr. 392.
Hertz, F. Nr. 147.
Hettner, Alfred. Nr. 368.
Heydemann, Victor. Nr. 3o7.
Heyler, Frédéric. Nr. 4.
Heymach, Ferdinand. Nr. 3o8.
Hill, Franz. Nr. 58.
Hill, J. W. Nr. 189.
Hilsmann, Friedr. Emil Theodor. Nr. 41.
Himmelstern, Alex. Nr. 424.

Hintz, Ernst. Nr. 222.
Hintze, Carl. Nr. 30.
Hirsch, Robert. Nr. 332.
Hirschberg, William. Nr. 238.
Hirschfeld, Hartwig. Nr. 209.
Hochstetter, Heinrich. Nr. 540.
Hoffmann, Albert. Nr. 5.
Hoffmann, Arthur (aus Darmstadt).
  Nr. 148.
Hoffmann, Arthur (aus Goldberg i.
  Schl.). Nr. 510.
Hoffmann, Hermann. Nr. 456.
Hoffmann, Hugo. Nr. 239.
Hoffmann, Maximilians. Nr. 210.
Hoffmannus, Otto Adalb. Nr. 478.
Höhnel, Franz von. Nr. 132.
Holtzmann, J. Heinrich. Nr. XIII.
  XIV.
Honburger, Leopold. Nr. 240.
Hoepffner, Th. Eug. Nr. 6.
Hoppe-Seyler, Felix. Nr. IX.
Horning, Adolf. Nr. 259.
Horst, L. Nr. 339.
Houllion, Constant. Nr. 65.
Howe, Alleu B. Nr. 268.
Huter, E. Nr. 190.

Jaflé, Karl. Nr. 149.
Jaeger, Arnold. Nr. 7.
Jaeger, August. Nr. 241.
Jaeger, Emil. Nr. 94.
Jaeger, Julius. Nr. 284.
Jaeger-Luroth, J. Nr. 457.
Janitsch, Julius. Nr. 260.
Jarmersted, Alexander v. Nr. 242.
Jayne, Harry W. Nr. 440.
Ihlée, Ernst. Nr. 133.
Ingenbleek, Theodor. Nr. 309.
Ingenohl, Adolph. Nr. 66.
Johanisjanz, Absalom. Nr. 134.
Jolles, Stanislaus. Nr. 490.
Jordan, Gustav. Nr. 369.
Jordan, Seth N. Nr. 150.
Jourdan, Friedrich. Nr. 269.
Jourowsky, Denis. Nr. 191.
Isenbeck, August. Nr. 491.
Judeich, Walther. Nr. 530.
Izquierdo, Vicente. Nr. 243.

Kalkoff, Paul. Nr. 425.
Kalterbach, Paul. Nr. 244.
Kamieński, Franz. Nr. 95.
Kannengiesser, Paul, 166.
Kap-Herr, Huns, von. Nr. 370.
Kaerger, Karl. Nr. 397.
Kasemeyer, Rudolf. Nr. 151.
Kast, Hermann. Nr. 333.
Kauffmann, Friedrich. Nr. 349.
Kayser, J. Nr. 152.
Keller. Adolf. Nr. 531.
Kellerhoff, Eduardus. Nr. 371.

Kempf, Georg. Nr. 285.
Kempner, Gustav. Nr. 192.
Kerry, Benno, s. Kohn, Benno.
Kestner, Georg. Nr. 458.
Kienitz, Otto. Nr. 261.
Kilbinger, Georg. Nr. 334.
Killian, Emil. Nr. 101.
Klebs, Georg. Nr. 270.
Kleemann, Selmarus. Nr. 120.
Klein, Benno. Nr. 135.
Klenm, Richard. Nr. 42.
Klige, Friedrich. Nr. 211.
Knittel, Michel. Nr. 511.
Knorr, Ludwig Karl. Nr. 83.
Knöry, Auguste. Nr. 67.
Köbig, Julius. Nr. 223.
Koch, Alfred. Nr. 541.
Koch, Paul. Nr. 286.
Kochendörffer, Karl. Nr. 372.
Kochmann, Max. Nr. 20.
Kœhler, Georg. Nr. 193.
Kohn, Benno. Nr. 373.
Kolbe, Carl. Nr. 441.
Komanos, Anton D. Nr. 68.
Konowalow, Dimitri. Nr. 393.
Körner, Otto. Nr. 405.
Körte, Werner. Nr. 69.
Korybutt-Daszkiewicz, Waclaw.
  Nr. 194.
Kossinna, Gustaf. Nr. 374.
Kratse, Richard. Nr. 271.
Kreiss, Theodor. Nr. 459.
Krellwitz, Eduard Karl. Nr. 287.
Kriesche, Adolf. Nr. 195.
Kriworotow, Woldemar. Nr. 460.
Kronecker, Franz. Nr. 461.
Kügler, Karl. Nr. 542.
Kuellenberg, Richardus. Nr. 167.
Kimmer, Adolphe. Nr. 245.
Kindt, August Nr. XIII.
Kupferschmidt, Max. Nr. 310.
Küstner, Friedrich. Nr. 335.

Labald, Paul. Nr. XV. XVI.
Landsberg, Ludwig. Nr. 272.
Landwehr, H. A. 350.
Larrinaga, Franz G. de. Nr. 340.
Laskarides, Spyridon J. Nr. 196.
Lauer, A. Nr. 512.
Lechten, Aug. Emile. Nr. 102.
Ledderhose, Georg. Nr. 288.
Lefèvre, Paul. Nr. 479.
Lehmann, Georg. Nr. 351.
Lehmann, Otto. Nr. 175.
Lentz, Nicolaus. Nr. 289.
Lepsius, Richard. Nr. 84.
Lesser, Edmund. Nr. 103.
Leipold, Edward. Nr. 426.
Lichtenstein, Franz. Nr. 168.
Liebe, Martin. Nr. 352.
Liebeschütz, Julius. Nr. 462.

Liebrich, Em. Nr. 8.
Liepmann, Henry. Nr. 273.
Linck, G. Nr. 543.
Lindner, August. Nr. 513.
List, Willy. Nr. 311.
Liweh, Theodor. Nr. 544.
Lœb, Jacques. Nr. 514.
Lobstein, P. Nr. 138.
Lœffler, Franciscus Josephus. Nr. 427.
Look, Heinrich van. Nr. 375.
Lubarsch, Otto. Nr. 515.
Lucius, P. E. N. 227.
Lücke, Albert. Nr. XIV. XV.
Luckenbach, Hermannus. Nr. 212.
Luedeking, Rob. Nr. 104.
Luterbacher, Franciscus. Nr. 85.
Luthmer, Johannes. Nr. 532.

Maki, Rioschiro. Nr. 516.
Makris, Constantinus. Nr. 105.
Makrocki, Fritz. Nr. 246.
Mangelsdorf, Guilelmus. Nr. 121.
Marcks, Erich. Nr. 533.
Maren, Emil. Nr. 517.
Mertens, Paul. Nr. 312.
Martin, Robert. Nr. 43.
Marx, Gustav. Nr. 376.
Marzolph, Carl. Nr. 406.
Mauve, Carl. Nr. 398.
Mayer, Carl. Nr. 463.
Mayr, Max. Nr. 449.
Meer, Edmund ter. Nr. 86.
Meller, Josef. Nr. 464.
Mercanton, Victor. Nr. 70.
Mering, Joseph von. Nr. 21.
Merling, H. Nr. 247.
Mermod, A. Nr. 153.
Mertz, Albrecht. Nr. 407.
Messerschnidt, Alfred. Nr. 336.
Messner, A. Nr. 353.
Mewis, Christian. Nr. 44.
Meyer, Arthur. Nr. 492.
Meyer, Carl. Nr. 45.
Meyer, Eugen. Nr. 290.
Meyer, Hans H. J. Nr. 341.
Meyer, Lucian. Nr. 502.
Meyer, Paul. Nr. 106.
Meyer, Theodor. Nr. 545.
Michaelis, Adolf. Nr. XVI. XVII. XVIII.
Michel, Daniel. Nr. 169.
Michel, Ferdinand. Nr. 262.
Müller, Wilhelm. Nr. 546.
Morf, Heinrich. Nr. 213.
Morgenstern, Rudolf. Nr. 291.
Morris, L. J. Nr. 547.
Moerschbacher, Jacobus. Nr. 122.
Mounstein, A. Nr. 518.
Müllensiefen, Paulus. Nr. 428.
Müller, Franz Carl. Nr. 354.
Müller, Julius. Nr. 519.

Müller, Rodolphe. Nr. 9.
Miraoka, Hanichi. Nr. 394.

Natorp, Paulus. Nr. 123.
Nega, Julius. Nr. 408.
Nourney, Adolf. Nr. 355.

Oehler, Rudolf. Nr. 465.
Oldekop, J. Nr. 248.
Oltmanns, Friedrich. Nr. 548.
Oench, F. E. d'. Nr. 249.
Orth, Ferdinand. Nr. 429.
Ortlieb, Emile. Nr. 10.
Osawa, Kenge. Nr. 409.
Ott, Philipp. Nr. 549.
Oettingen, Wolfgang von. Nr. 430.
Otz, Alfred. Nr. 197.

Pagenstecher, Alexander. Nr. 274.
Pagidas, Georgios. Nr. 431.
Paulus, Otto. Nr. 442.
Peine, Henricus. Nr. 214.
Perrier, Henri. Nr. 71.
Petri, Camille. Nr. 224.
Petri, Emil. Nr. 35.
Photiades, Photios Demetrii. Nr. 107.
Pickel, Carolus. Nr. 313.
Pistorius, Joh. Nr. 154.
Ploen, Henricus. Nr. 432.
Plönies, W. Nr. 250.
Pohl, Augustinus. Nr. 377.
Poensgen, Eugen. Nr. 251.
Posen, Eduard. Nr. 337.
Post, B. Nr. 314.
Power, Frederick B. Nr. 338.
Preetorius, A. Nr. 292.
Preiss, Otto. Nr. 22.
Preuss, Richard. Nr. 378.
Priese, Oscar. Nr. 480.
Primer, Sylvester. Nr. 315.
Prunhuber, Wilhelm. Nr. 72.
Puchstein, Otto. Nr. 316.
Pulch, Paulus. Nr. 317.
Puluj, J. Nr. 136.

Rabow, Siegfried. Nr. 15.
Rathgen, Karl. Nr. 342.
Reckling, M. Nr. 534.
Recklinghausen, Friedr. von. Nr. XVIII. XIX.
Reimann, Paul. Nr. 433.
Rettich, Heinrich. Nr. 503.
Reusch, Adam. Nr. 263.
Reverdin, Auguste. Nr. 46.
Richter Paulus. Nr. 59.
Richthofen, O. Frhr. von. Nr. 36.
Ries, John. Nr. 318.
Rockwitz, Carl. Nr. 466.
Roeder, Friedrich. Nr. 493.
Roeder, Hans Albert. Nr. 443.
Roediger Max. Nr. 124.

Rœhrich, Edouard. Nr. 11.
Roller, C. F. W. Nr. 293.
Rose, Hermann. Nr. 319.
Rosenkranz, Rudolf. Nr. 467.
Rosenkränzer, Nicolaus. Nr. 379.
Rostafinski, Joseph Thomas von. Nr. 31.
Roetteken, Hubert. Nr. 535.
Rudeloff, Friedrich. Nr. 356.
Ruhlmann, Eugène. Nr. 294.
Rühlmann, Moritz. Nr. 494.
Ruige, Max. Nr. 73.
Riete, Edmund. Nr. 481.

Sachs, Barney. Nr. 410.
Sadée, Leonardus. Nr. 215.
Sammet, Rudolf. Nr. 108.
Schadow, Gottfried. Nr. 109.
Schaffner, Alfred. Nr. 320.
Scheffer, Alfred. Nr. 295.
Schenk, Ernst Albert. Nr. 444.
Schepss, G. Nr. 87.
Scherer, Petrus. Nr. 482.
Schimper, A. F. W. Nr. 225.
Schladenhauffen, G. Nr. 12.
Schlumberger, Emile. Nr. 47.
Schmarsow, August. Nr. 170.
Schmederer, Heinrich. Nr. 48.
Schmidt, Adolf. Nr. 321.
Schmidt, Alexander. Nr. 495.
Schmidt, Christian. Nr. 252.
Schnidt, Erich. Nr. 60.
Schnidt, Hermann. Nr. 275.
Schmitz, Alexander. Nr. 176.
Schmitz, Hub. J. Nr. 177.
Schmoller, Gustav. Nr. IX. X. XI.
Schieegans, C. F. August. Nr. 550.
Schneidewin, Hermannus. Nr. 216.
Scholle, Wilhelm. Nr. 536.
Schott, Alphons. Nr. 520.
Schramm, Adolf. Nr. 49.
Schramm, Gerb. Nr. 50.
Schraube, C. Nr. 88.
Schricker, August. Nr. 552.
Schröder, Edward. Nr. 380.
Schrœder, Fridericus. Nr. 434.
Schrœder, Johannes. Nr. 264.
Schröder, Oscar. Nr. 23.
Schröder, Woldemar von. Nr. 411.
Schrumpf, Gustave. Nr. 74.
Schubert, Hans von. Nr. 537.
Schuchardt, F. Nr. 296.
Schüler, O. Nr. 521.
Schultze, Robert. Nr. 75.
Schuster, Wilhelm. Nr. 110.
Schwan, Eduard. Nr. 322.
Schwarz, Carl. Nr. 253.
Schwemer, Richard. Nr. 435.
Seligmann, Heinrich. Nr. 357.
Sering, Max. Nr. 343.
Simons, Eduard. Nr. 276.

Simroth, Heinrich. Nr. 89.
Slocun, Frank L. Nr. 496.
Smidt, Hermann. Nr. 297.
Sohm, Rudolf. Nr. XIX. XX.
Sorgius, Wilhelm. Nr. 298.
Spach, Em. Nr. 13.
Sperling, Heinrich. Nr. 37.
Stahl, Christian Ernest. Nr. 32.
Stamm, Adolfus. Nr. 381.
Stehle, Bruno. Nr. 217.
Steinen, Karl von den. Nr. 76.
Steinkühler, Franz David. Nr. 16.
Stenger, Franz. Nr. 497.
Stigell, Hermann. Nr. 468.
Stock, Hermann. Nr. 218.
Storbeck, Andreas. Nr. 155.
Stoy, Stephan. Nr. 382.
Strack, Ernst. Nr. 156.
Stratch, Philipp. Nr. 125.
Strecker, Karl. Nr. 395.
Struck, Emil. Nr. 344.
Stuenkel, Ludovicus. Nr. 90.
Swiontek, Leopold. Nr. 157.

Tahintzis, C. Th. Nr. 522.
Thielmann, Philippus. Nr. 265.
Thilo, Georg. Nr. 158.
Thomas, Barnim. Nr. 91.
Tils, Ernst. Nr. 254.
Timme, Friedrich Ferdinand. Nr. 111.
Trinius, Paul. Nr. 498.
Turier, Paul. Nr. 38.

Uhlemann, Emil. Nr. 323.
Unger, Hugo. Nr. 137.
Ungerer, L. Nr. 358.
Unna, Paul. Nr. 112.

Vaucher, Édouard. Nr. 14.
Velden, Reinhard von den. Nr. 77.
Virck, Hans. Nr. 171.
Vogler, Otto. Nr. 113.
Vogt, Felix. Nr. 324.
Vohsen, Karl. Nr. 411.
Voigt, Carl. Nr. 413.
Voss. Georgius. Nr. 383.

Wagier, Adolf. Nr. 359.
Wagner, Albrecht. Nr. 126.
Wagner, Carl. Nr. 51.
Warburg, Otto. Nr. 499.
Warren, Minton. Nr. 384.
Wartanian, Grégoire. Nr. 504.
Wartmann, Auguste-Henry. Nr. 299.
Weber, Ernest. Nr. 523.
Wegscheider, Hans. Nr. 78.
Wehrmann, Karl. Nr. 325.
Weidier, Gustav. Nr. 326.
Weigand, R. Nr. 96.
Weil, Adolph. Nr. 24.

Weil, E. Nr. 114.
Weiler, Julius. Nr. 61.
Weinstein, Ludwig. Nr. 551.
Weidt, Edmund. Nr. 159.
Werner, Carl. Nr. 255.
Werveke, Leopold van. Nr. 226.
Weyl, Theodor. Nr. 160.
White, T. P. Nr. 300.
Wiegand, Wilhelm. Nr. 62.
Wieger, Germain. Nr. 469.
Wieger, Leo. Nr. 256.
Wilhelm, Karl Adolf. Nr. 178.
Winckelmann, Otto. Nr. 436.
Windmüller, L. Nr. 161.
Wirtz, J. Nr. 470.
Wissmann, Theodor. Nr. 127.
Wolff, Alfred. Nr. 79.
Wolff, Carl Heinrich. Nr. 301.

Wolff, Ludwig. Nr. 445.
Wolfram, Georg. Nr. 483.
Woringer, Leo. Nr. 500.
Wortmann, Johannes. Nr. 471.
Wüllner, Ludwig. Nr. 437.
Wuest, Georgius. Nr. 385.
Wyder, Theodor. Nr. 198.
Wyler, J. Nr. 199.

Zacharias, E. Nr. 179.
Zalewski, Alexander. Nr. 501.
Zarncke, Eduardus. Nr. 327.
Zeidler, Othmar. Nr. 33.
Zeiss, Otto. Nr. 162.
Zesas, Denis G. Nr. 360.
Zielonko, Justus von. Nr. 52.
Zimmer, Heinrich. Nr. 128.
Zuckschwerdt, Benno. Nr. 17.

law. 350
m...
p...
m...

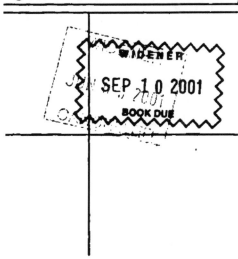